主　編◎錢超塵
副主編◎王育林　劉　陽

元讀書堂本《素問》

（上）

《黄帝内經》版本通鑒

第二輯

北京科学技术出版社

圖書在版編目（CIP）數據

元讀書堂本《素問》：全三册 / 錢超塵主編. —
北京：北京科學技術出版社, 2022.1
（《黄帝内經》版本通鑒；第二輯）
ISBN 978 – 7 – 5714 – 1833 – 5

Ⅰ. ①元… Ⅱ. ①錢… Ⅲ. ①《素問》 Ⅳ.
①R221.1

中國版本圖書館 CIP 數據核字（2021）第188342號

策劃編輯： 侍　偉　吴　丹
責任編輯： 吴　丹
責任校對： 賈　榮
責任印製： 李　茗
出 版 人： 曾慶宇
出版發行： 北京科學技術出版社
社　　址： 北京西直門南大街16號
郵政編碼： 100035
電話傳真： 0086–10–66135495（總編室）　0086–10–66113227（發行部）
網　　址： www.bkydw.cn
印　　刷： 北京七彩京通數碼快印有限公司
開　　本： 787 mm × 1092 mm　1/16
字　　數： 951千字
印　　張： 79.5
版　　次： 2022年1月第1版
印　　次： 2022年1月第1次印刷
ISBN 978 – 7 – 5714 – 1833 – 5

定　　價： **1790.00元（全三册）**

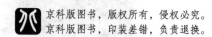

《〈黄帝内經〉版本通鑒·第二輯》編纂委員會

主　編　錢超塵
副主編　王育林　劉　陽

前言

中醫學是超越時代、跨越國度、具有永恒魅力的中華民族文化瑰寶，是富有當代價值、維護人體健康的生命科學，它將伴隨中華民族而永生。中醫學核心經典《黄帝内經》（包括《素問》和《靈樞》），奠定了中醫理論基礎，指導作用歷久彌新，是臨床家登堂入室的津梁，是理論家取之不盡的寶藏，是研究中國傳統文化必讀之書。

讀書貴得善本。章太炎先生鍼對中醫讀書不注重善本的問題，指出『近世治經籍者，皆以得真本爲亟，獨醫家爲藝事，學者往往不尋古始』，認爲這是不好的讀書習慣。他又説：『信乎，稽古之士，宜得善本而讀之也！』閲讀《黄帝内經》，必須對它的成書源流、歷史沿革、當代版本存佚狀况有明確的認識，纔能選擇佳善版本，獲取真知。

《黄帝内經》某些篇段成於战國時期，至西漢整理成文，《漢書·藝文志》載有『《黄帝内經》十八卷』。西晋皇甫謐《鍼灸甲乙經》類編其書，序云：『《黄帝内經》十八卷，今《鍼經》九卷，《素問》九卷，即《内經》也。』這説明《黄帝内經》一直分爲兩種相對獨立的書籍流傳，一種名《素問》，一種名《鍼經》。《鍼經》即《靈樞》的初名，在流傳過程中也稱《九卷》《九靈》《九墟》，東漢末期張仲景、魏太醫令王叔和均引用過《九卷》之名。

《素問》的版本傳承相對明晰。南朝梁全元起作《素問訓解》存亡繼絶，唐初楊上善類編《黄帝内經太素》取之。唐乾元三年（七六〇）朝廷詔令將《素問》作爲中醫考試教材。唐中期王冰以全元起本爲底本作注，收入『七篇大論』，改爲二十四卷八十一篇，爲《素問》的流行奠定了基礎。北宋天聖五年（一〇二七）、景祐二年（一〇三五），以全元起本爲底本的《素問》兩次雕版刊行。北宋嘉祐年間（一〇五六至一〇六三）校正醫書局林億、孫奇等以王冰注本爲底本，增校勘、訓詁、釋音，仍以二十四卷八十一篇刊行。此後《素問》單行本均以北宋嘉祐本爲原本，歷南宋（金）、元、明、清至今，形成多個版本系統。二十四卷本，以金刻本（存十三卷）、元讀書堂本、明顧從德覆宋本、明無名氏覆宋本、明周曰校本、明『醫統』本爲代表；十二卷本，以元古林書堂本、明熊宗立本、明趙府居敬堂本、明吴悌本爲代表；五十卷本，即『道藏』本；此外還有明清注家九卷本、日本刻九卷本等。南宋、北宋及更早之本俱已不存。

《靈樞》在魏晋以後至北宋初期的傳承情况，因史料有缺而相對隱晦。唐初楊上善類編《黄帝内經太素》收入《九卷》。唐中期王冰注《素問》引文，始有『靈樞經』之稱。因存本不全，北宋校正醫書局未校《靈樞》。遲至元祐七年（一〇九二），高麗進獻《黄帝鍼經》，始獲全帙，元祐八年（一〇九三）正月北宋政府頒行之。此後《靈樞》再次沉寂，至南宋紹興乙亥（一一五五），史崧刊出家藏《靈樞》，將原本九卷校正並增修音釋，勒成二十四卷。此本成爲此後所有傳本的祖本，流傳至今已形成多個版本系統。其中二十四卷本，以明無名氏仿宋本、明周曰校本爲代表；十二卷本，以元古林書堂本、明熊宗立本、明趙府居敬堂本、明田經本、明吳悌本、明吳勉學本爲代表；此外還有二十三卷本（即『道藏』本）、明詹林所二卷本、『道藏』收録的《靈樞略》一卷本、日本刻九卷本等。

除《素問》《靈樞》各有單行本之外，《黄帝内經》尚有類編本。西晉皇甫謐《鍼灸甲乙經》，將《素問》《九卷》《明堂孔穴鍼灸治要》三書類編，但編輯時『删其浮辭，除其重複』，故與《素問》《靈樞》對勘，《鍼灸甲乙經》文句每不全足。唐代楊上善《黄帝内經太素》三十卷，將《九卷》《素問》全文收入，不加删掇，詳加注釋。《黄帝内經太素》文獻價值巨大，但在南宋之後却沉寂無聞，直到清光緒中葉，學者楊守敬在日本發現仁和寺存有仁和三年（八八七，相當於唐光啓三年）舊鈔卷子本，存二十三卷，遂影寫携歸，一時轟動醫林。嗣後日本國内相繼再發現佚文二卷有奇，至此《黄帝内經太素》現存二十五卷，堪稱《黄帝内經》版本史上的奇迹。

綜觀《黄帝内經》版本歷史，可謂一縷不絶，沉浮聚散；視其存亡現狀，又可謂同源異派，星分飄零。現存《黄帝内經》善本分散保存在國内外諸多藏書機構，此前囿於信息交流、印刷技術，從未有大規模集中最優秀版本出版的先例。當今電子信息技術發展日新月異，互聯網的普及使信息交流具有前所未有的廣泛性、時效性，乘此東風，《黄帝内經》現存的諸多優秀版本得以鳩聚刊印，爲中醫從業者及愛好者和傳統文化學者集中學習、研究提供便利。『《黄帝内經》版本通鑒』叢書，首次對《黄帝内經》精善本進行大規模集中解題、影印，目的是保存經典、傳承文明、繼往開來，爲振興中醫奠基，爲中華文化復興增添一份力量。

繼二〇一九年『《黄帝内經》版本通鑒·第一輯』出版十二種優秀版本之後，『《黄帝内經》版本通鑒·第二輯』再次精選十三種經典版本，包括《素問》六種、《靈樞》六種、《太素》一種，列録如下。

（1）蕭延平校刻蘭陵堂本《太素》。
（2）元讀書堂本《素問》。
（3）明熊宗立本《靈樞》。
（4）朝鮮小字整板本《素問》。
（5）明吴悌本《靈樞》。
（6）楊守敬題記覆宋本《素問》。
（7）朝鮮銅活字（乙亥字）本《靈樞》。
（8）明趙府居敬堂本《靈樞》。
（9）明『醫統』本《素問》。
（10）明『醫統』本《靈樞》。
（11）明詹林所本《素問》。
（12）明詹林所本《靈樞》。
（13）明潘之恒《黄海》本《素問》。

這十三種經典版本的特點如下。

（1）蕭延平校刻蘭陵堂本《太素》，校印俱精，爲《太素》刊本中之精品。

（2）元讀書堂本《素問》，爲今僅存的宋元刊本三種之一，巾箱本，分二十四卷，與顧從德覆宋本一致，但附有《亡篇》，各篇文字内容、音釋拆附情况又與元古林書堂本高度近似。此本校刻精善，爲現存《素問》之佳槧，足以與元古林書堂本、顧從德本並美；若單論文字訛誤之少，猶過二本。

（3）朝鮮小字整板本《素問》，爲現存朝鮮本之較早者，其底本爲元古林書堂本。品相顯拙，但勝在校勘精審，仍具有較高的版本價值。

（4）楊守敬題記覆宋本《素問》、明潘之恒《黄海》本《素問》，均承自宋本，作二十四卷。前者當是以顧從德覆宋本改版（删去刻工）者，後者是以宋本校勘重刻者，品相良佳。

（5）本輯收入明代兩種《素問》《靈樞》合刻本，分别是吴勉學校刻『古今醫統正脉全書』本（簡稱『醫統』本）、閩書林詹林所本（簡稱詹本），二者各有特色。『醫統』本《素問》以顧從德本爲底本仿刻，《靈樞》以吴悌本爲底本重刻，校刻皆良。詹本《素問》以熊宗立本爲底本，删去宋臣注重刻；《靈樞》亦以熊宗立本爲底本，合併爲兩卷重刻。詹本品相不甚佳，訛舛不少，因刊刻年代尚早，今存完帙，在探索《黄帝内經》版本源流方面，仍具一定價值。

（6）本輯收入的《靈樞》均爲明代版本，屬古林書堂十二卷本系統，各具特色。其中，熊宗立本上承古林書堂本（仿刻，熊宗立句讀），下爲本輯明代諸本之祖。吴悌本（校審精，品相佳）、趙府居敬堂本（品相佳，後世通行）、詹林所本（合併爲二卷）皆直承熊宗立本；『醫統』本承吴悌本；朝鮮銅活字（乙亥字）本（朝鮮銅活字官刻，校審精，品相佳）承田經本（即山東布政使司本），田經本承熊宗立本。

『《黄帝内經》版本通鑒』卷帙浩大，爲出版這套叢書，北京科學技術出版社領導及各位編輯同仁以極高的使命感和責任心，付出了極大的心血和努力，克服了諸多困難，終成其功，謹此致以崇高敬意。相信這套叢書必不辜負同仁之望，可在促進中醫藥事業發展、深化祖國傳統文化研究、增强國家文化軟實力等諸多方面做出應有的貢獻。

囿於執筆者眼界、學識，諸篇解題必有疏漏及訛誤之處，請方家、讀者不吝指正。

錢超塵

［説明：爲更準確地體現版本、訓詁學研究的學術内涵，撰寫時保留了部分異體字，所選擇字樣如下：欬（欬嗽）、並（並且）、併（合併）、嶽（山嶽）、鍼、於、異。］

目録

《黄帝内經》版本通鑒·第二輯

元讀書堂本《素問》（上）

解題　劉陽

解　題

元讀書堂本《素問》(依中國國家圖書館著録，以下簡稱讀書堂本)，爲存世兩種元本之一，難得的是全帙未缺，宜其爲《素問》極重要之版本。然而相對於另一種元刻古林書堂本(以下簡稱古林本)而言，至今其關注度與普及度遠遜，大略有以下原因：其一，長期湮隱，自元至清末幾六百年未現世，至民國期間纔出；其二，存世極罕，又加輾轉流傳，索尋不易。

一　流傳歷史

讀書堂本《素問》，未明確見載於明清書志目録，目前最早的收藏記録見於《涵芬樓燼餘書録》，云：『《新刊黄帝内經素問》二十四卷，宋刊本，十六册。卷首啓玄子王冰序。次林億、孫奇、高保衡等校正序，後列三人銜名。次目録。後有「讀書堂刊」四字不全牌記。此或坊版已鬻他人，而時代亦有移易，故剜改也。每卷首行書名，次行題啓玄子次注，林億、孫奇、高保衡等奉敕校正，孫兆重改誤。書與明顧從德覆宋刻重廣補注本同。第二十一卷「刺法論」「本病論」二篇亦缺。本卷篇目原注「此二篇亡在王注之前，今世有『素問亡篇』，仍托名王冰爲注，辭理鄙陋，無從取者」云云，此亦照録，宜不復采收矣，而全書卷末乃仍刊此已亡之二論。劉温舒爲太醫學官時，得此「亡篇」，究不知其何所自來。坊賈無識，取以補亡，而不知適自彰其矛盾也。半葉十行，行十八字，大小字同。版心細黑口，書名署「問幾」，上記字數。藏印：「應麟」「裕陽之印」「東吴文獻世家」。』此本今藏於中國國家圖書館，現被收於『再造善本』叢書中發行。根據書内新增的『海鹽張元濟庚申歲經收』印記，可以確定是書於一九二〇年被張元濟收入，流傳至今，已是海内孤本了。

張元濟（一八六七至一九五九），字筱齋，號菊生，浙江海鹽人。光緒壬辰（一八九二）進士，曾任總理各國事務衙門章京，戊戌變法時曾被召，政變後被革職。以『輔助教育爲己任』，自一九〇一年起入商務印書館，歷任編譯所長、經理、監理、董事長，長期主持商務印書館工作。他將商務印書館附設的藏書室改稱涵芬樓（一九〇九。後擴建爲東方圖書館）。涵芬樓在一九三二年受日軍攻擊受損，部分藏書得免，其中幸有讀書堂本《素問》。中華人民共和國成立後，這些藏書歸於北京圖書館（今中國國家圖書館）。

現中國國家圖書館藏讀書堂本並無刊刻時間綫索，張元濟推定其爲宋刊，未有鐵證。在晚於張元濟收書之年的民國中後期，大書商、藏書家孫殿起經眼了此本的另一套書，記於《販書偶記》（1936）卷九：『《新刊黄帝内經素問》二十四卷，附「亡篇」一卷。唐王冰注。無刻書朝代，約元至正癸未讀書堂刊。首有王冰序。次「□□歲癸未中和節書於讀書堂」行書序。次林億序。次總目，總目後有長方木記「讀書堂刊」四字。每頁二十行，行十八字，小字雙行。上下單欄，口中雙魚尾，上有字數，黑綫口。惟卷一第二十四頁每行十九字。此本較明影宋刊本，小字注文增多。』幾乎同時期，丁福保

《四部總録醫藥編》有記録云：『元□□癸未，讀書堂刊本。題「新刊黄帝内經素問」，附「亡篇」。此本每半葉十行，行十八字，小字雙行，大小字同。版心細黑口，注文較明影宋刊本增多。』似抄録自孫殿起的記録。孫殿起所記版式與張元濟藏本同，惟在王冰、宋臣序之間多出『「□□歲癸未中和節書於讀書堂」行書序』，洵爲特异，可惜這套書今已不知所踪了。此序落款句首缺失之二字，當爲年號，或爲書賈有意剜去而欲僞充宋本之手段。張元濟舊藏本將此序書葉全部抽去，也是同理。所幸尚留存有干支『癸未』綫索，故孫殿起推測其大約刻於元至正年間（元至正三年，一三四三年），當今著録大多因循此説。如此，讀書堂本的刊刻時間就比古林本（一三三九）極近而略晚。但應當注意的是，此説並非定論。讀書堂本《素問》有明顯的『建本』風格，而元初的前至元二十年（一二八三），明初的永樂元年（一四〇三），甚至到天順七年（一四六三），主要出自福建建陽地區的『建本』刻書風格都比較接近，故不能完全排除這幾個時間點的可能性。真柳誠《黄帝醫籍研究》即將刊刻時間確定爲一二八三年，『據國圖本書版磨耗及「亡篇」修版字體推之，當屬明嘉靖前後修版、重印』。

從中國國家圖書館藏讀書堂本的藏書印來看，其在張元濟之前所經歷的藏書家有以下幾位。

（一）細朱文方印『東吴文獻世家』：持有者未知。『東吴』一般指蘇州，文風極盛，藏書家衆多。但宋末、元末板蕩，没有穩定的藏書條件，真正開始穩定地藏書要從明初統一後開始算，經過連續數代的積累，纔能稱爲『世家』。故推測此印出現的時間節點不會早於明代中期。蘇州有名的藏書世家有吴縣葉氏、昆山葉氏、文氏、潘氏、顧氏、吴氏等，其多在明代中後期顯名。其中蘇州文氏的文嘉（一五〇一至一五八三，文徵明仲子）有『東吴文獻衡山世家』印。

（二）細朱文長方印『應麟』：持有者胡應麟（一五五一至一六〇二），字元瑞，一字明瑞，號少室山人，更號石羊生，蘭溪人。幼能詩，舉萬曆四年（一五七六）鄉薦，久不第。築室山中，購書四萬二千餘卷。記誦淹博，著作等身。從王世貞、汪道昆等前輩游。嘗携詩謁王世貞，世貞激賞之，置諸『末五子』之列。

（三）細朱文方印『裕陽之印』：持有者或是林裕陽，明萬曆、天啓時人，字永光，官至南京户部員外郎。

（四）白文方印『趾卿』：持有者顧麟，字祥甫，號趾卿，又號雙紅豆子，黑橋（現上海市浦東新區周浦鎮紅橋村）人，中年居上海市區，晚年歸居周浦鎮。清同治六年（一八六七）舉人，學識淵博，工詩詞。晚年力究醫學，亦頗有成。著有《靈素表徵》《内經疏證》等。

從收藏情況來看，可確認的刻書時間只能上溯到明中期，仍不能排除最晚至天順七年（一四六三）的推測，此書在清代前中期的流傳情況也不清楚。

二　版本特徵

今藏於中國國家圖書館的《素問》讀書堂本，根據『再造善本』的牌記可知，『版框高十六・四厘米，寬十一厘米』，開本狹小，爲巾箱本。題爲『新刊黄帝内經素問』，二十四卷，『亡篇』一卷。版式爲：左右雙邊，半葉十行，行十八字，雙行小字同。雙黑對魚尾，細黑口。版心刻有當葉字數，位置一般在上書口，象鼻右側，有時在下書口，偶有未刻（『亡篇』幾乎全卷未刻）。

目録後鐫有牌記『□□□□□/□讀書堂刊』。

三　與古林本的關繫推定

讀書堂本作二十四卷，其分卷方式、每卷前端格式與顧從德覆宋本（以下簡稱顧本）相同，故其所據底本必有宋本。但讀書堂本有『亡篇』一卷，此與顧本不同，而與金刻本『亡篇』、古林本『遺篇』相同，顯示其與顧本之祖本不一。又細察讀書堂本除『亡篇』外之各篇體例、文字，與顧本相异處極多，却與十二卷的古林本高度一致，具體有以下幾點。

第一，讀書堂本與古林本在正文篇名前、王冰注與宋臣注之間均置『〇』符。

第二，讀書堂本音釋不再集中列於卷末，變爲隨文附於相應注文之末，便於閱讀，此體例、插入位置與古林本完全相同。音釋字，古林本以橢圓形黑釘白文醒目處理，而讀書堂本以字周圍以橢圓形細圈標示。

第三，讀書堂本音釋詞與顧本比較，凡有相違處，幾乎全與古林本吻合。

（1）所缺者同缺。如顧本『四氣調神大論篇第二』『欲熾（尺志切）』『豺（音柴）』『鶡（苦割切）』、『疏五過論篇第七十七』『沮（七余反）』『佚（音逸）』等，讀書堂本、古林本俱無。

（2）所增者同增。如『四氣調神大論篇第二』正文『菀槀不榮』，注文『物蘊積』，顧本無音釋，讀書堂本與古林本增『菀，於遠切。槀，音槁。蘊，音尹』（反切之『切』字古林本作『反』）；『刺瘧篇第三十六』正文『刺足陽明跗上』，顧本無音釋，讀書堂本與古林本增『跗，音付』。

（3）所改者同改。如『靈蘭秘典論篇第八』，顧本『膻（徒旱切）』，讀書堂本與古林本俱作『膻，徒亶切（反）』；『示從容論篇第七十六』，顧本『砭（方驗切）』，讀書堂本與古林本同作『砭，方念切』。

（4）所誤者同誤。如『五藏别論篇第十一』，顧本『楯（音巡）』，讀書堂本與古林本俱作『楯，堅久切（反）』，『堅久』實爲『豎允』之誤刻；『五藏生成篇第十』『髃（音虞）』，應置於注文『手陽明脉，自肩髃前廉，上出於柱骨之會上』（顧本卷三第十二葉上半葉第九行）一條之末，讀書堂本、古林本俱不察，反將前條注文『至氣街中而合，以下髀，故爲是病』之『髀』誤爲『髃』，並置音釋於前條之末，一誤再誤皆同。

第四，各篇内文文字與顧本比較，多有異文，極少與古林本不合。按，孫殿起云『注文較明影宋刊本增多』，有誤，讀書堂本並無大量增衍注文而産生的异文。

（1）經、注异文兩可者。如『四氣調神大論篇第二』，顧本『使志若伏若匿』，讀書堂本、古林本並作『使志若伏若匪（今詳「匪」字當作「匿」）』；『陰陽離合論篇第六』，顧本『陰陽𩅱𩅱』，讀書堂本、古林本並作『陰陽衝𩅱』；『六節藏象論篇第九』，顧本『悉哉問也』，讀書堂本、古林本並作『悉乎哉問也』。

（2）顧本誤者。如『生氣通天論篇第三』，顧本『久瘀肉攻』，讀書堂本、古林本並作『久瘀内攻』，是；『至真要大論第七十四』『司歲備物，則無遺主矣』，顧本宋臣注『今詳「前」字當作「則」』，讀書堂本、古林本並作『今詳「則」字當作「用」』。

（3）顧本正者。如『氣穴論篇第五十八』，顧本『榮衛不居，卷肉縮筋』，讀書堂本、古林本並誤『肉』爲『内』。

（4）避諱與尊重格式處理。顧本宋臣序遇『仁宗』『聖祖』等，均作挪擡（空一格）處理，『臣』作小字，此爲尊重格式，讀書堂本、古林本皆無；顧本避玄、敬、匡、徵、恒等字，缺其末筆，讀書堂本、古林本則基本不避諱、不缺筆；『陰陽應象大論篇第五』『喜怒不節，寒暑過度，生乃不固』，顧本注『喜怒不恒』，『恒』字缺末筆，讀書堂本、古林本並改爲『常』；『氣交變大論篇第六十九』注文『請受於天師』，讀書堂本、古林本並將『天師』挪擡。

（5）特徵性俗字。顧本多用通行字，讀書堂本與古林本均大量使用俗字而稍有參差，但總體來說，讀書堂本與古林本所用俗字異文很少，有不少含有罕見俗字的文句都能一致，絶非巧合。如『標本病傳論篇第六十五』，顧本『道不疑惑，識既深明』，讀書堂本與古林本並作『道不疑惑，識断深明』，『斷』『既』二字异文，字形相差甚遠，顯非誤刻，更同作簡化俗體『断』；『氣交變大論篇第六十九』，顧本『故曰白堅之穀，秀而不實』，讀書堂本與古林本並作『故白堅之谷，秀而不实』，脱一『曰』字，且『穀』簡作『谷』，『實』簡作『实』，在古林本極爲罕見。諸如此類文例甚多，若謂兩本分别據宋本底本演化，實爲牽强。

第五，讀書堂本與古林本比較，异文極少。舉其例如下。

（1）音釋异文。如『血氣形志論篇第二十四』，顧本『相柱（知庚切）』，讀書堂本隨文作『拄，知庚切』，古林本作『拄，知俞反』；『通評虚實論篇第二十八』，顧本『痏（榮美切）』，讀書堂本於隨文作『痏，音洧』，古林本無音釋。

（2）讀書堂本獨异，古林本與顧本同。如『平人氣象論篇第十八』，顧本、古林本『言沈弱不必爲疝瘕』，讀書堂本誤『沈』爲『洗』。此種情况罕見，基本屬讀書堂本自有之刻誤。

（3）古林本獨异，讀書堂本與顧本同。如『五藏生成篇第十』，顧本、讀書堂本『面青目赤』，古林本誤『目赤』爲『目青』。此種情况亦罕見，但稍多於讀書堂本獨异者。

（4）三種版本各异。如『氣交變大論篇第六十九』，顧本『故屈身降志，請受於天師』，古林本作『故屈身降志，請受於□天師』（空格爲挪擡尊重格式，熊宗立本、趙府居敬堂本均以爲脱字，而擅補『一』字，大誤），讀書堂本作『而辱身降志，請受於□天師』。又『六元正紀大論篇第七十一』，顧本『戰慄讝妄（讝，亂言也。今詳「慄」字當作「慄」字）』，古林本作『戰慄讝妄（讝，亂言也。今詳「慄」字當作「慄」）』，讀書堂本作『戰慄讝妄（讝，亂言也。今詳「慄」字當作「慄」）』。

（5）异體字。有讀書堂本用通行字而古林本用俗字者，有讀書堂本用俗字而古林本用通行字者，有兩本均用俗字而互不相同者。兩書内部自身用字也時通時俗，多個俗字之間時甲時乙，並不統一。但總體而言，兩書用异體字相同的情况極多，有差别的地方很少。

以上現象説明，讀書堂本與古林本關繫極爲密切，對此祇能有兩種推測。

第一種，讀書堂本先出（一二八三），是古林本（一三三九）的底本或參照本之一。真柳誠先生持此論，説見《黄帝醫籍研究》（二〇二〇）第68～79頁，其結論爲：『又一三三九年刊古林本亦似曾參照讀書堂本，推測讀書本序刊於一二八三年。但據國圖本書版磨耗及「亡篇」修版字體推之，當屬明嘉靖前後修版、重印。』『讀書本見有宋諱缺筆字，與南宋中後期刊監本《論語》版式完全相同，且字體及被音釋字格式等亦酷似。因而，元豐本曾有南宋中後期翻刻本，可以斷定，覆刻該翻刻本者即讀書本，翻刻該翻刻本爲十二卷本者即古林本。』

此論之關鍵在於推測『南宋中後期翻刻本』的存在，證據主要是南宋中後期福建劉氏天香書院刊監本《論語》的版式與《素問》讀書堂本肖似。真柳誠先生認爲讀書堂本與古林本均源出於該南宋建本《素問》，二者是『兄弟』關繫，並非『父子』關繫。

第二種，讀書堂本後出（一三四三年或更晚），古林本是其底本之一。

筆者持此論。最主要的證據有二。

（1）對讀書堂本反切語的考查。由目前存世的《素問》顧從德覆宋本和相當於南宋時期的金刻本，可以推知一個基本認識：宋本反切都作『某某切』。顧本僅有一處，即『疏五過論篇第七十七』『沮（七余反）』有違其例，金本未見有違者。故若讀書堂本音釋爲直接翻刻甚至覆刻宋本而來，則必然不違此例。讀書堂本『沮（七余反）』恰缺釋，則惟一有可能存在的例外也消除了，於理絶不會出現『某某反』的音釋。然而考查發現，讀書堂本全書，作『某某反』的音釋爲數不少，更有幾處特殊的音釋，足以證明其襲自於某種音釋作『某某反』的版本。舉其要例如下。

表一 《素問》讀書堂本『某某反』与他本對照表

序號	讀書堂本	古林本	『正統道藏』本	顧從德本
一	放，妃兩反(『陰陽應象大論篇第五』)	放，妃兩反	放，妃兩切	放效(上妃雨切)
二	嗌，伊昔反(『陰陽應象大論篇第五』)	嗌，伊昔反	嗌，伊昔切	嗌(伊者切)
三	胻，户當反(『刺熱篇第三十二』)	胻，户當反	胻，户當切	⿰骨玄(音玄)
四	絀，丁骨反(『舉痛論篇第三十九』)	絀，丁骨反	絀，丁骨切	絀急(上丁骨切)
五	䯏，光抹反(『長刺節論篇第五十五』)	䯏，光抹反	䯏，光抹切	䯏(光抹切)
六	髂，口亞反(『長刺節論篇第五十五』)	髂，口亞反	髂，口亞切	髂(口亞切)
七	新校正云：按别本篡一作基。又初患反(『長刺節論篇第五十五』)	新校正云：按别本篡一作基。又初患反	新校正云：按别本篡一作基。又初患反	篡(初患切)
	新校正云：按别本焠作悴，青對切(『藏氣法時論篇第二十二』)	新校正云：按别本焠作悴，青對反	新校正云：按别本焠作悴(青對切)	焠(七内切)

序號	讀書堂本	古林本	『正統道藏』本	顧從德本
八	䐃，渠殞反（『皮部論篇第五十六』）	䐃，渠殞反	䐃，渠殞切	䐃（渠殞切）
九	蔽，必寐反（『氣穴論篇第五十八』）	蔽，必寐反	蔽，必寐切	蔽（必寐切）
十	臑，奴到反（『氣穴論篇第五十八』）	臑，奴到反	臑，奴到切	臑（奴到切）
十一	顳，仁涉反。顬，汝車反（『氣府論篇第五十九』）	顳，仁涉反。顬，汝車反	顳，仁涉切。顬，汝車切	顳顬（上如輒切，下汝車切）
十二	嚙，古結反（『骨空論篇第六十』）	嚙，古結反	嚙，古結切	嚙（若結切）
十三	留，力救反（『水熱穴論篇第六十一』）	留，力救反	留，力救切	溜（力救切）
十四	緻，馳二反（『水熱穴論篇第六十一』）	緻，馳二反	緻，馳二切	緻（馳二切）

據上表分析如下。

①按讀書堂本的體例，其没有主動改『切』爲『反』的可能性。此15條作『某某反』的音釋（第11有2條），數量多，且分散於多篇，無法用翻刻宋本偶然失誤來解釋，覆刻失誤就更不可能了。惟一的可能便是：讀書堂本回改『反』爲『切』未盡，留下了些許痕迹。可資參考的一個側面證據是：古林本改『切』爲『反』未盡，亦留下了少量『某某切』的痕迹，且散見於多篇，如『熱論篇第三十一』『譫，之閻切』，『天元紀大論篇第六十六』『鐫，子泉切』，『方盛衰論篇第八十』『菌，袪倫切』等。我們很容易得出一個相當穩妥的結論：讀書堂本的内文底本是某種音釋反切作『某某反』的版本，古林本的底本是某種音釋反切作『某某切』的版本。

②自元代迄於明初，滿足讀書堂本回改對象條件的版本衹有古林本。讀書堂本凡15條作『某某反』的音釋，與古林本無一字不同。對照顧本，除『切』『反』字不同外，另存在4條音切异文。則讀書堂本15條『某某反』音釋來源於古林本，而非改造自顧本一脉的二十四卷本，基本可以確定。

③再用『正統道藏』本作參照，它是可以考證的明確以古林本爲底本的版本，其音釋特點是回改『某某反』爲『某某切』，大體没有疏漏，觀上表亦可知。但在第7條，『長刺節論篇第五十五』載『新校正云：按别本簒一作基。又初患反』。底本古林本未按常例改版作醒目黑釘白文『簒』字加音注隨文，而省以正常陽刻『又』字連綴，與宋臣注融爲一體，校刻者失察，將其當作宋臣注而襲用了『初患反』原樣未改。對比『藏氣法時論篇第二十二』類似的一處：『新校正云：按别本焠作悴，青對反。』古林本不用『又』字連綴音釋，而將『焠』字處理爲黑釘白文，如此結果就截然不同，『正統道藏』本的校刻者完全注意到了這個音釋字，明確地將『反』改作了『切』。讀書堂本在這兩條特殊音釋上的改字表現

以至失誤規律都與『正統道藏』本完全一致，這也從側面可以證實，讀本内文底本便是古林本。

④逆向思考，假定按『宋本→讀書堂本→古林本』的編刊次序，能否合理解釋第七條的異同情況？若模擬該過程，按正常編改體例讀書堂本此條應作：『新校正云：按别本㚇一作基。初患切。』而實際文本内，『㚇』字未加圈，却在切語前加『又』字，更將『切』字誤爲『反』字，連續出現三處違例（最后一處尤爲無理），這在有意識的編改過程中基本是不可能的。但如果反過來考慮，按『宋本→古林本→讀書堂本』的編刊順序，古林本衹有一處嚴格意義上的疏失（『㚇』字未作黑釘白文），便是可以接受的。而以之爲底本的讀書堂本、『正統道藏』本，以至于熊宗立本以下均未察而沿襲，就是順理成章的事情了。

（2）對臺北圖書館藏古林本墨丁的考查。臺北現藏一套古林本《素問》，無附録，書號05857，爲張蓉鏡舊藏品，現已在網絡公開圖像。臺灣古林本有二處墨丁，與中國國家圖書館藏本的再造善本（瞿氏鐵琴銅劍樓舊藏本）及古林本殘本（存卷8～12）比對，再造本於二處皆已補字，殘本僅補一處。這説明臺灣古林本是初印本，國圖古林殘本是後印本，瞿氏舊藏古林本是更晚的後印本。又將三者與讀書堂本、顧本比較，結果如下表所示。

表二 《素問》古林書堂本與讀書堂本墨丁對照表

序號	臺灣古林本	再造古林本（瞿氏舊藏）	國圖古林殘本（存卷8～12）	讀書堂本	顧從德本
一	刻■大温，汗濡玄府（『六元正紀大論篇第七十一』）	刻中大温，汗濡玄府	刻中大温，汗濡玄府	刻中大温，汗濡玄府	刻終大温，汗濡玄府
二	五藏部■又隔遠而无可信驗（『方盛衰論第八十』）	五藏部不又隔遠无可信驗	五藏部■又隔遠无可信驗	五藏部■又隔遠无可信驗	五藏部分又隔遠而无可信驗

據表，諸本文字各有异同，顧本文字周全無缺，句意通順；臺灣古林本兩處缺字，以墨丁上板，有待補完；國圖古林本殘本補了一字（异於顧本），保留一處墨丁；瞿氏舊藏古林本將兩處補完，但均异於顧本，明顯文義不通；讀書堂本的處理同國圖古林本殘本。據此可以作以下推理。

①從古林初印本、再造古林本墨丁處理與讀書堂本的異同，可以否定古林本以讀書堂本爲底本或參校本的可能性。

②從古林後印本將墨釘相繼補誤的情形看，古林本刊刻时終未找到别本參校，衹有惟一底本可據，該底本必非讀書堂本。

③從讀書堂本與國圖古林殘本（存卷八至十二）補字相同來看，可解釋爲讀書堂本刊刻在古林本

之后，其校刻者手中應握有與該國圖古林殘本同批次的古林後印本。

④從讀書堂本、古林後印本都受相同墨丁所困，最終無法完全準確補正墨丁的情形看，讀書堂本與古林本似祖同一種宋本。從異文情況看，該本與顧從德本祖本不同。以宋本之稀少程度，又兩書坊同處建陽地區，有極大可能性爲讀書堂本與古林本所據是同一部書（古林本牌記所謂『元豐孫校正家藏善本』）。

綜合分析，比較合理的推斷是：讀書堂本刊刻時間晚於古林本，刊刻時所據的底本之一是古林本後印本，另有一種宋本，可能即古林本刊刻時所據原本。

根據對讀書堂本反切語、古林本墨丁的分析，結合前文對讀書堂本與古林本音釋及其餘文字的比較，兩個版本之間的關繫已然明晰：讀書堂本以不同於顧本祖本的某種二十四卷本宋本爲底本分卷，録各卷卷首，此本亦古林本所據，二者的底本可能是同一部；至各篇内文（包括序目），則改以古林本後印本爲底本寫板翻刻，在此過程中參校了宋本，改正了古林本的一些訛誤。

四　『素問亡篇』討論

讀書堂本之『亡篇』，與金刻本之『亡篇』、古林本之『遺篇』爲同一系統，顯示宋本中確有一種附有『亡篇』之祖本存在。考察三種『亡（遺）篇』之异同，有以下發現。

（一）宋本名『亡篇』無疑，『遺篇』之名爲古林本改版時所改。

（二）三種本子明顯宗於同一祖本，該祖本自金刻本時期已有頗多脱字。金刻本翻刻時對脱字不留空格，徑自删去，導致文意大受影響。至古林本、讀書堂本刊刻時，其宋本底本脱字又增多了一些，古林本、讀書堂本各自保留了部分空格，又各自補入了一些文字，兩本所留、所補互相不同。對照金刻本舊文，兩本所補字少有正確者。

（三）讀書堂本自生誤刻極罕見，維持了較高的校刊水準，較好地保持了宋本原貌。古林本出現了竄行漏刻、正文竄入注文等重大失誤，顯示校刻者相對於《素問》正卷，並不太重視遺篇，觀其將『遺篇』附於《新刊素問入式運氣論奥》之後，而非直接附於《素問》正卷之後，亦可見一斑。

讀書堂本刻『亡篇』時，未循刻《素問》之例以古林本爲内文底本，其原因很容易解釋：『亡篇』無音釋，不存在調整版式以更方便閲讀的利益；古林本字小行密，訛誤頻出，也是相對的劣勢。讀書堂本校刻者手中既有宋本原本，自然遵照原本更有利於翻刻。

五　讀書堂本刊刻時間再討論

綜合以上考證、分析，讀書堂本刊刻時間晚於古林本，且以古林本爲母本之一，已可確定。古林本刻於元後至元五年（一三三九），讀書堂本刻於癸未，有三個可能的時間點：元至正三年（一三四三）；明永樂元年（一四〇三）；明天順七年（一四六三）。從版式來看，並没有能够區分時代的特徵，因爲明初建本與元代後期建本是非常相似的。

前文考證已知，讀書堂本母本之一的宋本《素問》，與古林本所據相同，很有可能是同一本，且此本與顧本之祖本不同。若是，則讀書堂本爲元刻的機率非常高。理由有二。

其一，宋本書籍在元代已是珍貴少見之物，再經歷元末戰爭後，至明代更加稀少。這種附刻『素問亡篇』的宋本《素問》，在明清兩代無人著録、翻刻，最大的可能性就是這類版本亡佚在元末戰争中

（明初還有靖難之役，不過對南方的影響很小），如是則明人無由得見。

其二，讀書堂本傳本稀少，也與上條同由。讀書堂本作巾箱式便是爲了便讀廣賣，印量必多，若爲永樂之後刊刻，斷不至於銷聲匿迹達五百年。

故基於以上認識，讀書堂本惟一可能的刊刻時間衹有元至正三年（一三四三）了。

六 總結

《素問》讀書堂本在《素問》衆多版本中非常特殊，它是二十四卷本，但各篇内文體例、文字却與十二卷本的元古林本高度一致。其版式左右雙邊，細黑口，雙黑魚尾，書名、卷次的簡稱在上魚尾下方，上書口記本葉字數，下魚尾上記葉次，目録之後有牌記，正文顔體字爲主，簡化字、俗字特多，凡此種種，具備元建本的典型特徵。經考證，讀書堂本應刊刻於元至正三年（一三四三），以附刻了『亡篇』的某種二十四卷本宋本《素問》爲底本分卷，録各卷卷首，刻『亡篇』；正卷各篇内文（包括序目）則改以元古林本後印本爲底本寫板翻刻，在此過程中參校了宋本，改正了古林本的一些訛誤。讀書堂本雖作巾箱本式，但校刻十分精審，自生訛誤極少，若單以文字内容論，足可稱《素問》存世最爲精善之本。

黃帝内經素問序

啓玄子王冰撰

新校正云按唐人物志冰仕唐爲太僕令年八十餘以壽終

夫釋縛脫艱全真導氣拯黎元於仁壽濟羸劣以獲安者非三聖道則不能致之矣孔安國序尚書曰伏羲神農黃帝之書謂之三墳言大道也班固漢書藝文志曰黃帝内經十八卷素問即其經之九卷也兼靈樞九卷迺其數焉新校正云詳王氏此說蓋本皇甫士安甲乙經之序彼云七略藝文志黃帝内經十八卷

今有鍼經九卷素問九卷共十八卷即内經也故王氏遵而用之又素問外九卷漢張仲景及西晉王叔和脉經只爲之九卷皇甫士安名爲鍼經亦專名九卷楊玄操云黃帝内經二帙帙各九卷按隋書經籍志謂之九靈王冰名爲靈樞

雖復年移代革而授學猶存懼非其人而時有所隱故第七一卷師氏藏之今之奉行惟八卷爾然而其文簡其意愽其理奥其趣深天地之象分陰陽之候列變化之由表死生之兆彰不謀而遐邇自同勿約而幽明斯契稽其言有徵驗之事不忒誠可謂至道之宗奉生

之始矣假若天機迅發妙識玄通蕆謀雖屬乎生知標格亦資於詁訓未嘗有行不由逕出不由戶者也然刻意研精探微索隱或識契眞要則目牛無全故動則有成猶鬼神幽贊而命世奇傑時時間出焉則周有秦公新校正云按別本一作和緩漢有淳于公魏有張公華公皆得斯妙道者也咸日新其用大濟蒸人華葉遞榮聲實相副蓋教之著矣亦天之假也冰弱齡慕道夙好養生幸遇眞經式爲

龜鏡而世本紕繆篇目重疊前後不倫
文義懸隔施行不易披會亦難歲月既
淹襲以成弊或一篇重出而别立二名
或兩論併吞而都爲一目或問荅未已
别樹篇題或脱簡不書而云世闕重合
經而冠鍼服併方宜而爲欬篇隔虚實
而爲逆從合經絡而爲論要節皮部爲
經絡退至教以先鍼諸如此流不可勝
數且將升岱嶽非逕奚爲欲詣扶桑無
舟莫適乃精勤博訪而并有其人歷十

二年方臻理要詢謀得失深遂夙心時於先生郭子齋堂受得先師張公秘本文字昭晰義理環周一以參詳羣疑冰釋恐散於末學絕彼師資因而撰註用傳不朽兼舊藏之卷合八十一篇二十四卷勒成一部新校正云詳素問第七卷亡已久矣按皇甫士安晉人也序甲乙經云亦有亡失隋書經籍志載梁七錄亦云止存八卷全元起隋人所註本乃無第七王冰唐寶應中人上至晉皇甫謐甘露中已六百餘年而冰自爲得舊藏之卷今竊疑之乃觀天元紀大論五運行論六微旨論氣交變論五常政論六元正紀論至眞要論七篇居今素問四卷篇卷浩大不與

素問前後篇卷等又且所載之事與素問餘篇略不相通竊疑此七篇乃陰陽大論之文王氏取以補所亡之卷猶周官無冬官以考工記補之之類也又按漢張仲景傷寒論序云撰用素問九卷八十一難經陰陽大論是素問與陰陽大論兩書甚明乃王氏并陰陽大論於素問中也要之陰陽大論亦古醫經終非素問第七矣冀乎究尾明首尋註會經開發童蒙宣揚至理而已其中簡脫文斷義不相接者搜求經論所有遷移以補其處篇目墜缺指事不明者量其意趣加字以昭其義篇論吞并義不相涉闕漏名目者區分事類別目以冠篇首君臣

請問禮儀乖失者考校尊卑增益以光其意錯簡碎文前後重疊者詳其指趣削去繁雜以存其要辭理秘密難粗論述者別撰玄珠以陳其道新校正云詳王氏玄珠世無傳者今有玄珠十卷昭明隱旨三卷蓋後人附託之文也雖非王氏之書亦於素問第十九卷至二十四卷頗有發明其隱旨三卷與今世所謂天元玉冊者正相表裏而與王冰之義多不同凡所加字皆朱書其文使今古必分字不雜糅女救切雜也庶厥昭彰聖旨敷暢玄言有如列宿高懸奎張不亂深泉淨瀅音瑩鱗介咸分君臣

無夭枉之期夷夏有延齡之望俾工徒
勿誤學者惟明至道流行徽音累屬千
載之後方知大聖之慈惠無窮時大唐
寶應元年歲次壬寅序

將仕郎守殿中丞孫　兆　重改誤

校正黃帝内經素問序

臣聞安不忘危存不忘亡者往聖之先務求民之瘼恤民之隱者上主之深仁在昔黃帝之御極也以理身緒餘治天下坐於明堂之上臨觀八極考建五常以謂人之生也負陰而抱陽食味而被色外有寒暑之相盪内有喜怒之交侵夭昏札瘥國家代有將欲斂時五福以敷錫厥庶民乃與岐伯上窮天紀下極地理遠取諸物

近取諸身更相問難垂法以福後世於是雷公之倫受業傳之而内經作矣歷代寶之未有失墜蒼周之興秦和述六氣之論具明於左史厥後越人得其一二演而述難經西漢倉公傳其舊學東漢仲景撰其遺論晉皇甫謐次而爲甲乙及隋楊上善纂而爲大素時則有全元起者始爲之訓解闕第七一通迄唐寶應中太僕王冰篤好之得先師所藏之卷大爲次

註猶是三皇遺文爛然可觀惜乎唐
令列之醫學付之執技之流而薦紳
先生罕言之去聖已遠其述曨昧是
以文註紛錯義理混淆殊不知三墳
之餘帝王之高致聖賢之能事唐堯
之授四時虞舜之齊七政神禹脩六
府以興帝功文王推六子以叙卦氣
伊尹調五味以致君箕子陳五行以
佐世其致一也柰何以至精至微之
道傳之以至下至淺之人其不廢絶

爲巳幸矣頃在嘉祐中仁宗念聖祖
之遺事將墜于地廼詔通知其學者
俾之是正臣等承乏典校伏念旬歲
遂廼搜訪中外裒集衆本寖尋其義
正其訛舛十得其三四餘不能具竊
謂未足以稱明詔副聖意而又採漢
唐書録古醫經之存於世者得數十
家叙而考正焉貫穿錯綜磅礴會通
或端本以尋支或泝流而討源定其
可知次以舊目正繆誤者六千餘字

增註義者二千餘條，一言去取，必有稽考，舛文疑義，於是詳明。以之治身，可以消患於未兆；施於有政，可以廣生於無窮。恭惟皇帝撫大同之運，擁無疆之休，述先志以奉成，興微學而永正，則和氣可召，災害不生，陶一世之民，同躋于壽域矣。國子博士臣高保衡、光禄卿直秘閣臣林億等謹上。

朝奉郎守國子博士同校正醫書上騎都尉賜緋魚袋高　保衡

朝奉郎守尚書屯田郎中同校正醫書騎都尉賜緋魚袋孫　奇

朝散大夫守光禄卿直秘閣判登聞檢院上護軍林　億

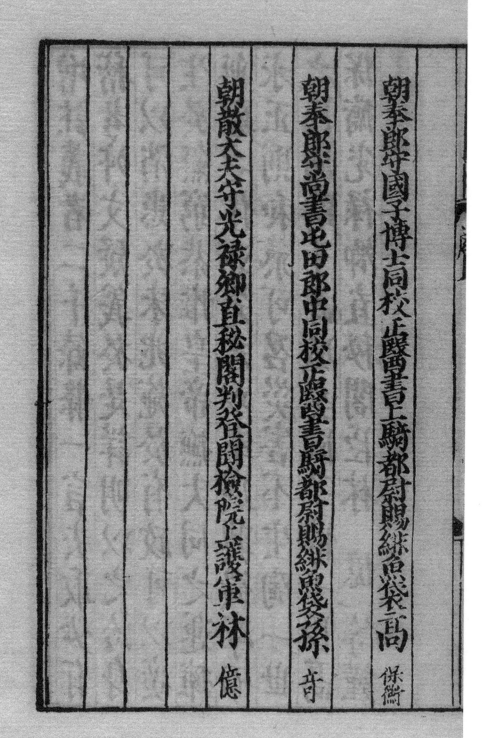

新刊黄帝内經素問目録

新刊黃帝内經素問目録終

讀書堂刊

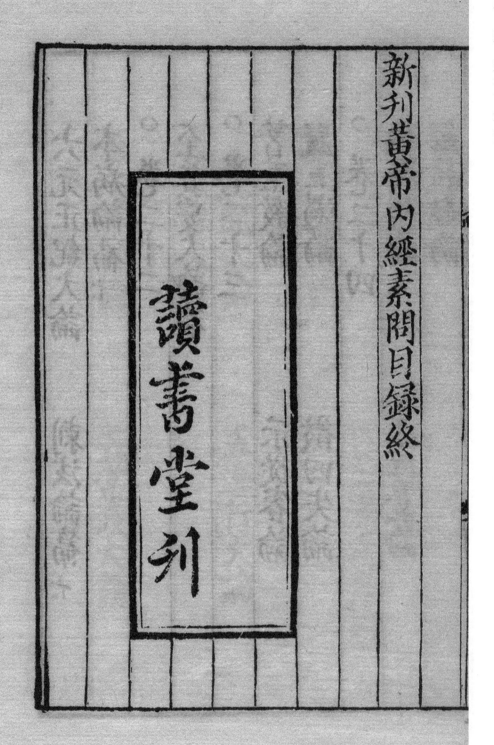

新刊黃帝内經素問卷第一

新校正云：按王氏不解所以名素問之義，及素問之名起於何代。按隋書經籍志始有素問之名，甲乙經序晉皇甫謐之文已云素問論病精辨，王叔和西晉人撰脉經云出素問鍼經，漢張仲景撰傷寒卒病論集云撰用素問，是則素問之名著於隋志，上見於漢代也。自仲景已前無文可見，莫得而知。據今世所存之書，則素問之名起漢世也。所以名素問之義，全元起有說云：素者本也，問者黃帝問岐伯也，方陳性情之源，五行之本，故曰素問。元起雖有此解，義未甚明。按乾鑿度云：夫有形者生於無形，故有太易，有太初，有太始，有太素。太易者未見氣也，太初者氣之始也，太始者形之始也，太素者質之始也。氣形質具而疴瘵由是萌生，故黃帝問此太素質之始也。素問之名，義或由此。

啓玄子次註林億孫奇高保衡等奉敕校正孫兆重改誤

〇上古天眞論篇第一

新校正按全元起註本在第九卷王氏重次篇第移冠篇首今註逐篇必具全元起本之卷第者欲存素問舊第目見今之篇次皆王氏之所移也

昔在黃帝生而神靈弱而能言幼而徇齊長而敦敏成而登天有熊國君少典之子姓公孫徇疾也敦信也敏達也習用干戈以征不享平定天下殄滅蚩尤以土德王都軒轅之丘故號之曰軒轅黃帝後鑄鼎於鼎湖山鼎成而白日升天群臣葬衣冠於橋山墓今猶在廼奴亥切廼問於天師曰

余聞上古之人春秋皆度百歲而動作不衰今
時之人年半百而動作皆衰者時世異耶人將
失之耶天師岐伯也岐伯對曰上古之人其知道者
法於陰陽和於術數上古謂玄古也知道謂知脩養之道也夫陰陽者天
地之常道術數者保生之大倫故脩養者必謹
先之老子曰萬物負陰而抱陽沖氣以為和四
氣調神大論曰陰陽四時者萬物之終始也死生
之本也逆之則災害生從之則苛疾不起是謂得
道此之謂也食飲有節起居有常不妄作勞食飲者充虛之
滋味起居者動止之綱紀故脩養者謹而行之
痺論曰飲食自倍腸胃乃傷生氣通天論曰起
居如驚神氣乃浮是惡妄動也廣成子曰必靜
必清無勞汝形無搖汝精乃可以長生故聖人
先之也○新校正云按全元起註本云飲食有
常節起居有常度不妄不作太素同楊上善云

以理而取聲色芳味不妄視聽也循理而動不爲分外之事（揮）必至切 **故能形與神俱而盡終其天年度百歲乃去** 形與神俱同臻壽分謹於修養以奉天眞故盡得終其天年去謂去離於形骸也靈樞經曰人百歲五藏皆虛神氣皆去形骸獨居而終矣以其知道故年長壽延年度百歲謂至一百二十歲也尚書洪範曰一曰壽百二十歲也 **今時之人不然也** 動之死地離於道也 **以酒爲漿** 溺於飲也 **以妄爲常** 寡於信也 **醉以入房** 過於色也 **以欲竭其精以耗散其眞** 樂色曰欲輕用曰耗樂色不節則精竭輕用不止則眞散是以聖人愛精重施髓滿骨堅老子曰弱其志強其骨河上公曰有欲者亡身曲禮曰欲不可縱○新校正云按甲乙經耗作好 **不知持滿不時御神** 言輕用而縱欲也老子曰持而盈之不如其已言愛精保神如持盈滿之器不愼而動則傾竭天眞眞誥曰常不能

慎事自致百病豈可怨咎於神明乎此之謂也○新校正云按別本時作解務快其心逆於生樂快於心欲之用則逆養生之樂矣老子曰甚愛必大費此之類歟夫甚愛而不能救議道而以為未然者伐生之大患也起居無節故半百而衰也亦耗散而致是也夫道者不可斯須離於道則壽不能終盡於天年矣老子曰物壯則老謂之不道不道早已此之謂離道也夫上古聖人之教下也皆謂之虛邪賊風避之有時邪乘虛入是謂虛邪竊害中和謂之賊風避之有時謂八節之日及太一入從之於中宮朝八風之日也靈樞經曰邪氣不得其虛不能獨傷人謂人虛乃邪勝之也○新校正云按全元起注本云上古聖人之教也下皆為之太素与全同楊上善云上古聖人使人行者身先行之為不言之教不言之教勝有言之教故下百姓效行者衆故曰下皆為之太一入從於中宮朝八風義具天元玉冊中恬惔虛無

眞氣從之，精神內守，病安從來。恬惔虛無靜也法道清淨精氣內持故其虛邪不能爲害恬蹄兼切惔音淡是以志閑而少欲，心安而不懼，形勞而不倦。內機息故少欲外紛靜故心安然情欲兩亡是非一貫起居皆適故不倦也氣從以順，各從其欲，皆得所願。志不貪故所欲皆順心易足故所願必從以不異求故無難得也老子曰知足不辱知止不殆可以長久故美其食，順精麤也○新校正云按別本美一作甘任其服，隨美惡也樂其俗，去傾慕也高下不相慕，其民故曰朴。至無求也是所謂心足也老子曰禍莫大於不知足咎莫大於欲得故知足之足常足矣蓋非謂物足者爲知足心足若乃爲知足矣不恣於欲是則朴同故聖人云我無欲而民自朴○新校正云按別本曰作日是以嗜欲不能勞其目，淫邪不能惑其心，目不妄視故嗜欲不能勞心與玄同故淫邪不能惑老子曰不見可欲使心不亂又曰聖人爲腹不爲目愚智賢不肖不懼於物故合於道情計兩亡不爲謀府冥心一觀勝負俱捐故心志保安合同於道庚桑楚曰全汝形抱汝生無使汝思慮營營○新校正云按全元起注本云合於道數所以能年皆度百歲而動作不衰者以其德全不危也不涉於危故德全也莊子曰執道者德全德全者形全形全者聖人之道也又曰無爲而性命不全者未之有也帝曰人年老而無子者材力盡邪將天數然也材謂材幹可以立身者岐伯曰女子七歲腎氣盛齒更髮長老陽之數極於九少陽之數次於七女子爲少陰之氣故以少陽數偶之明陰陽氣和乃能生成其形體故七歲腎氣盛齒更髮長（更）古行切下齒更同二七而天癸至任脈通

太衝脉盛月事以時下故有子癸謂壬癸北方水干名也任脉衝脉皆奇經脉也腎氣全盛衝任流通經血漸盈應時而下天眞之氣降與之從事故云天癸也然衝爲血海任主胞胎二者相資故能有子所以謂之月事者平和之氣常以三旬而一見也故愆期者謂之有病○新校正云按全元起註本及太素甲乙經俱作伏衝下太衝同任如林切

三七腎氣平均故眞牙生而長極眞牙謂牙之最後生者腎氣平而眞牙生者表牙齒爲骨之餘也

四七筋骨堅髮長極身體盛壯女子天癸之數七七而終年居四七材力之半故身體盛壯長極於斯

五七陽明脉衰面始焦髮始墮陽明之脉氣營於面故其衰也髮墮面焦靈樞經曰足陽明之脉起於鼻交頞中下循鼻外入上齒中還出俠口環脣下交承漿却循頤後下廉出大迎循頰車上耳前過客主人循髮際至額顱手陽明之脉上頸貫頰入下齒

縫中還出俠口故面焦髮墮也墮於葛切頞胡葛切下同齃落胡切六七三陽脈衰於上面皆焦髮始白三陽之脈盡上於頭故三陽衰則面皆焦髮始白所以衰者婦人之生也有餘於氣不足於血以其經月數泄脫之故七七任脈虛太衝脈衰少天癸竭地道不通故形壞而無子也經水絕止是爲地道不通衝任衰微故云形壞無子丈夫八歲腎氣實髮長齒更老陰之數極於十少陰之數次於八男子爲少陽之氣故以少陰數合之易繫辭曰天九地十則其數也二八腎氣盛天癸至精氣溢寫陰陽和故能有子男女有陰陽之質不同天癸則精血之形亦異陰靜海滿而去血陽動應合而泄精二者通和故能有子易繫辭曰男女構精萬物化生此之謂也三八腎氣平均筋骨勁強故真牙生而長極以其

好用故滿四八筋骨隆盛肌肉滿壯丈夫天癸八八而終年居四八
亦材之半也五八腎氣衰髮墮齒槁腎主於骨齒爲骨餘腎氣既衰
精無所養故令髮墮齒復乾枯六八陽氣衰竭於上面焦髮鬢
頒白陽氣亦陽明之氣也靈樞經曰足陽明之脈起於鼻交頞中下循鼻外入上齒中還
出挾口環脣下交承漿却循頤後下廉出大迎循頰車上耳前過客主人循髮際至額顱故衰
於上則面焦髮鬢頒白也七八肝氣衰筋不能動天癸竭精
少腎藏衰形體皆極肝氣養筋肝衰故筋不能動腎氣養骨腎衰故形骸
疲極天癸已竭故精少也匱惟材力衰謝固當天數使然八八則齒髮去陽氣
竭精氣衰故齒髮不堅離形骸矣去落也腎者主水受五藏六府之
精而藏之故五藏盛乃能寫五藏六府精氣淫溢而滲灌於腎腎

（藏乃受而藏之何以明之靈樞經曰五藏主藏精藏精者不可傷由是則五藏各有精隨用而灌注於腎此乃腎為都會關司之所非腎一藏而獨有精故曰五藏盛乃能寫也）今五藏皆衰筋骨解墮天癸盡矣故髮鬢白身體重行步不正而無子耳（所謂物壯則老謂之天道者也）帝曰有其年已老而有子者何也（言似非天癸之數也）岐伯曰此其天壽過度氣脉常通而腎氣有餘也（所禀天真之氣本自有餘也）此雖有子男不過盡八八女不過盡七七而天地之精氣皆竭矣（雖老而生子子壽亦不能過天癸之數）帝曰夫道者年皆百數能有子乎岐伯曰夫道者能却老而全形身年雖壽能生子也（是所謂得道之人也）

道成之謚如下章云黃帝曰余聞上古有真人者提挈天
地把握陰陽真人謂成道之人也夫真人之身隱見莫測其爲小也入於無間其
爲大也徧於空境其變化也出入天地內外莫見迹順至真以表道成之謚凡如此者故能提
挈天地把握陰陽也呼吸精氣獨立守神肌肉若一真人心合
於氣氣合於神神合於無故呼吸精氣獨立守神肌膚若冰雪綽約如處子○新校正云按全
元起注本云身肌宗一太素同楊上善云真人身之肌體與太極同質故云宗一故能
壽敝天地無有終時躰同於道壽與道同故能無有終時而壽盡天地也
(澀)皮發切盡也此其道生惟至道生乃能如是中古之時有至人
者淳德全道全其至道故曰至人然至人以此淳樸之德全彼妙用之道○新校
正云詳楊上善云積精全神能至於德故稱至人也和於陰陽調於四

時和謂同和調謂調適言至人動靜必適中於四時生長收藏之令參同於陰陽寒暑升降之宜去世離俗積精全神心遠世紛身離俗染故能積精而復全神游行天地之間視聽八遠之外神全故也庚桑楚曰神全之人不慮而通不謀而當精照無外志凝宇宙若天地然又曰體合於心心合於氣氣合於神神合於無其有介然之有唯然之音雖遠際八荒之外近在眉睫之內來干我者吾必盡知之夫如是者神全故所以能矣睫音接此蓋益其壽命而強者也亦歸於真人同歸於道也其次有聖人者處天地之和從八風之理与天地合德与日月合明与四時合其序与鬼神合其吉凶故曰聖人所以處天地之淳和順八風之正理者欲其養正避彼虛邪適嗜欲於世俗之間無恚嗔之心聖人忘深於道故適於嗜慾心全廣愛故不有恚嗔是以常德不離

五丶九三

殘身不殆恚於挂切

行不欲離於世被服章新校正云詳被服章三字

疑衍此三字上下文不屬舉不欲觀於俗聖人舉事行止雖常在時俗之間然

其見為則与時俗有異尔何者貴法道之清靜也老子曰我獨異於人而貴求食於母母亦諭

道也外不勞形於事內無思想之患聖人為無為事無事是以

內無思想外不勞形以恬愉為務以自得為功恬靜也愉悅也法道

清靜適性而動故悅而自得也形體不敝精神不散亦可以百

數外不勞形內無思想故形体不敝精神保全神守不離故年登百數此皆全性之所致尓

庚桑楚曰聖人之於声色滋味也利於性則取之害於性則捐之此全性之道也敝疲敝也

其次有賢人者法則天地象似日月次聖人若謂之賢人

然自強不息精了百端不慮而通發謀必當志同於天地心燭於洞幽故云法則天地象似日

月也辯列星辰逆從陰陽分別四時星衆星也辰北辰也辯別者謂定内外星官座位之所於天三百六十五度遠近之分次也逆從陰陽者謂以六甲等法逆順数而推步吉凶之徵兆也陰陽書曰人中甲子從甲子起以乙丑爲次順数之地下甲子從甲戌起以癸酉爲次逆数之此之謂逆從也分別四時者謂分其氣序也春温夏暑熱秋清涼冬氷冽此四時之氣序也將從上古合同於道亦可使益壽而有極時將從上古合同於道謂如上古知道之人法於陰陽和於術數食飲有節起居有常不妄作勞也上古知道之人年度百歲而去故可使益壽而有極時也

○四時調神大論篇第二新校正云按全元起本在第九卷

春三月此謂發陳春陽上升氣潛發能生育庶物姿容故曰發陳也謂春三月者皆因節而命之夏秋冬亦然天地俱生萬物以榮天氣温地

氣發溫發相合故萬物滋榮夜卧早起廣步於庭溫氣生寒氣散故夜卧早起廣步於庭被髮緩形以使志生法象也春氣發生於萬物之首故被髮緩形以使志意發生也生而勿殺予而勿奪賞而勿罰春氣發生施无求報故養生者必順於時也圉音与此春氣之應養生之道也所謂因時之序也然立春之節初五日東風解凍次五日蟄虫始振後五日魚上氷次雨水氣初五日獺祭魚次五日鴻雁來後五日草木萌動次仲春驚蟄之節初五日小桃華○新校正云詳小桃華月令作桃始華○次五日倉庚鳴後五日鷹化為鳩次春分氣初五日玄鳥至次乃發聲芍藥榮後五日雷始電次季春清明之節初五日桐始華次五日田鼠化為鴑牡丹華後五日虹始見次穀雨氣初五日萍始生次五日鳴鳩拂其羽後五日戴勝降于桑凡此六氣一十八候皆春陽布發生之令故養生者必謹奉天時也○新校正云詳芍藥榮牡

芍藥榮牡丹華今月令無獺他達切鴽音如鵪也逆之則傷肝夏為寒變奉長者少逆謂反行秋令也肝象木王於春故行秋令則肝氣傷夏火王而木廢故病生於夏然四時之氣春生夏長逆春傷肝故少氣以奉於夏長之令也夏三月此謂蕃秀陽自春生至夏洪盛物生以長故蕃秀也蕃茂也盛也秀華也美也天地氣交萬物華實舉夏至也脈要精微論曰夏至四十五日陰氣微上陽氣微下由是則天地氣交也然陽氣施化陰氣結成成化相合故万物華實也陰陽應象大論曰陽化氣陰成形夜卧早起無厭於日使志無怒使華英成秀使氣得泄若所愛在外緩陽氣則物化寛志意則氣泄物化則華英成秀氣泄則膚腠宣通時令發陽故所愛亦順陽而在外也此夏氣之應養長之道也立夏之節初五日螻蟈鳴次五日蚯蚓出後五日赤箭生○新校正

按月令作王瓜生次小滿氣初五日吴葵華○新校正按月令作苦菜秀次五日靡草死後五日小暑至次仲夏芒種之節初五日螗蜋生次五日鵙始鳴後五日反舌無声次夏至氣初五日鹿角解次五日蜩始鳴後五日半夏生木堇榮次季夏小暑之節初五日溫風至次五日蟋蟀居壁後五日鷹乃學習次大暑氣初五日腐草化爲螢次五日土潤溽暑後五日大雨時行凡此六氣一十八候皆夏氣揚蕃秀之令故養生者必敬順天時也○新校正詳木堇榮今月令無鵙古闃切搏勞鳥

逆之則傷心秋爲痎瘧奉收者少冬至重病逆謂反行冬令也痎痎瘦之瘧也心象火王於夏故行冬令則心氣傷秋金王而火廢故病發於秋而爲痎瘧也然四時之氣秋收冬藏逆夏傷心故少氣以奉於秋收之令也冬水勝火故重病於冬至之時也痎音皆

秋三月此謂容平万物夏長華實已成容狀至秋平而定也天氣以急地氣以明天氣已急風声切也

地氣以明物色變也早臥早起與雞俱興懼中寒露故早臥欲使安寧故早起使志安寧以緩秋刑志氣躁則不慎其動不慎其動則助秋刑急順殺伐生故使志安寧緩秋刑也收斂神氣使秋氣平神蕩則欲熾欲熾則傷和氣和氣既傷則秋氣不平調也故收斂神氣使秋氣平也無外其志使肺氣清亦順秋氣之收斂也此秋氣之應養收之道也立秋之節初五日凉風至次五日白露降後五日寒蟬鳴次處暑氣初五日鷹乃祭鳥次五日天地始肅後五日禾乃登次仲秋白露之節初五日至鴻鴈來次五日玄鳥歸後五日羣鳥養羞次秋分氣初五日雷乃收声次五日蟄虫坏戶景天華後五日水始涸次季秋寒露之節初五日鴻鴈來賓次五日雀入大水爲蛤後五日菊有黃華次霜降氣初五日豺乃祭獸次五日草木黃落後五日蟄虫咸俯凡此六氣一十八候皆秋氣正收斂之令故養生者必謹奉天時也○

新校正云詳景天華三字今月令無孛步回切逆之則傷肺冬爲飧泄

奉藏者少逆謂反行夏令也肺象金王於秋故行夏令則氣傷冬水王而金廢故病發於冬飧泄者食不化而泄出也逆秋傷肺故少氣以奉於冬藏之令也飧音孫冬三

月此謂閉藏草木凋蟄虫去地戶閉塞陽氣伏藏水冰地坼無擾

乎陽陽氣下沈水冰地坼故宜周密不欲煩勞擾謂煩也勞也早卧晚起必

待日光避於寒也使志若伏若匪今詳匪字當作匿若有私

意若已有得皆謂不欲妄出於外觸冒寒氣也故下文云去寒就溫

無泄皮膚使氣亟奪去寒就溫言居深室也靈樞經曰冬日在骨蟄虫周密君子居室無泄皮膚謂勿汗也汗則陽氣發泄陽氣發泄則數爲寒氣所迫奪之亟數也亟

去吏切此冬氣之應養藏之道也立冬之節初五日水始冰次五

日地始凍後五日雉入大水爲蜃次小雪氣初五日虹藏不見次五日天氣上騰地氣下降後五日閉塞而成冬次仲冬大雪之節初五日冰益壯地始坼鶡鳥不鳴次五日虎始交後五日芸始生荔挺出次冬至氣初五日蚯蚓結次五日麋角解後五日水泉動次季冬小寒之節初五日鴈北鄉次五日鵲始巢後五日水澤腹堅凡此六氣一十八候皆冬之氣正養藏之令故養生者必謹奉天時也荔音利挺大頂切鄉音向逆之則傷腎春爲痿厥奉生者少逆謂反行夏令也腎象水王於冬故行夏令則腎氣傷春木王而水廢故病發於春也逆冬傷腎故少氣以奉於春生之令也天氣清靜光明者也言天明不竭以清靜故致之人壽延長亦由順動而得故言天氣以示於人也藏德不止新校正云按別本止一作上故不下也四時成序七曜周行天不形言是藏德也德隱則應用不屈故不下也老子曰上德不德是以有德也言天至尊高德猶見隱

也況全生之道而不順天乎**天明則日月不明邪害空竅**天所以藏德者為其欲隱大明故大明見則小明滅故大明之德不可不藏天若自明則日月之明隱矣所諭者何言人之真氣亦不可泄露當清淨法道以保天真苟離於道則虛邪入於空竅空音孔

陽氣者閉塞地氣者冒明陽謂天氣亦風熱也地氣謂濕亦雲霧也風熱之害人則九竅閉塞霧濕之為病則掩翳精明取類者在天則日月不光在人則兩目藏曜也靈樞經曰天有日月人有眼目易曰喪明于易豈非失養生之道耶

雲霧不精則上應白露不下霧者雲之類露者雨之類夫陽盛則地不上應陰虛則天不下交故雲霧不化精微之氣上應於天而為白露不下之咎矣陰陽應象大論曰地氣上為雲天氣下為雨雨出地氣雲出天氣明二氣交合乃成雨露方盛衰論曰至陰虛天氣絕至陽盛地氣不足明氣不相召亦不能交合也

交通不表萬物命故

不施不施則名木多死夫雲霧不化其精微雨露不霑於源澤是爲天氣不降地氣不騰變化之道既虧生育之源斯泯故万物之命無稟而生然其死者則名木先應故云名木多死也名謂名果珍木表謂表陳其狀也易繫辭曰天地絪緼万物化醇然不表交通則爲否也易曰天地不交否否部鄙切惡氣不發風雨不節白露不下則菀槀不榮惡謂害氣也發謂散也節謂節度也菀謂蘊積也槀謂枯槀也言害氣伏藏而不散發風雨無度折傷復多槀物蘊積春不榮也豈惟其物獨遇是而有之哉人離於道亦有之矣故下文菀於遠切槀音搞蘊音尹賊風數至暴雨數起天地四時不相保與道相失則未央絕不順四時之和數犯八風之害与道相失則滅天真之氣未期久遠而致滅亡央久也遠也唯聖人從之故身無奇病萬物不失生氣不竭

道非遠於人人心遠於道惟聖人心合於道故壽命无窮從猶順也謂順四時之令也然四時
之令不可逆之逆之則五藏内傷而他疾起逆春氣則少陽不生肝
氣內變生謂動出也陽氣不出內鬱於肝則肝氣混糅變而傷矣逆夏氣則
太陽不長心氣內洞長謂外茂也洞謂中空也陽不外茂內薄於心燠熱
內消故心中空也燠音欲逆秋氣則太陰不收肺氣焦滿收謂
收斂焦謂上焦也太陰行氣主化上焦故肺氣不收上焦滿也○新校正云詳焦滿全元起本
作進滿甲乙太素作焦滿逆冬氣則少陰不藏腎氣獨沉沉謂
沉伏也少陰之氣內通於腎故少陰不伏腎氣獨沉○新校正云詳獨沉太素作沉濁夫
四時陰陽者萬物之根本也時序運行陰陽變化天地合氣生育
万物故万物之根悉歸於此所以聖人春夏養陽秋冬養陰

以從其根〔陽氣根於陰陰氣根於陽无陰則陽无以生无陽則陰无以化全陰則陽氣不極全陽則陰氣不窮春食涼夏食寒以養於陽秋食溫冬食熱以養於陰滋苗者必固其根伐下者必枯其上故以斯調節從順其根二氣常存蓋由根固百刻曉暮食亦宜然〕故與萬物沈浮於生長之門〔聖人所以身无奇病生氣不竭者以順其根也〕逆其根則伐其本壞其眞矣〔是則失四時陰陽之道也〕故陰陽四時者萬物之終始也死生之本也逆之則災害生從之則苛疾不起是謂得道〔謂得養生之道苛者重也〕道者聖人行之愚者佩之〔圣人心合於道故勤而行之愚者性守於迷故佩服而已老子曰道者同於道德者同於德失者同於失同於道者道亦得之同於德者德亦得之同於失者失亦得之愚者未同於道德則可謂失道者也〕從陰陽

則生逆之則死從之則治逆之則亂反順爲逆是謂内格（格拒也謂内性格拒於天道也）是故聖人不治已病治未病不治已亂治未亂此之謂也（知之至也）夫病已成而後藥之亂已成而後治之譬猶渴而穿井鬭而鑄兵不亦晚乎（知不及時也備禦虛邪事符握虎噬而後藥雖悔何爲）

○生氣通天論篇第三（新校正云按全元起注本在第四卷）

黃帝曰夫自古通天者生之本本於陰陽天地之閒六合之内其氣九州九竅五藏十二節皆通乎天氣（六合謂四方上下也九州謂冀兖青徐揚荆豫梁雍也外布九州而内應

九竅故云九州九竅也五藏謂五神藏也五神藏者肝藏魂心藏神脾藏意肺藏魄腎藏志而此成形矣十二節者十二氣也天之十二節氣人之十二經脉而外應之咸同天紀故云皆通乎天氣也十二經脉者謂手三陰三陽足三陰三陽也○新校正云詳通天者生之本六節藏象注甚詳又按鄭康成云九竅者謂陽竅七陰竅二也其生五其氣三數犯此者則邪氣傷人此壽命之本也言人生之所運為則內依五氣以立然其鎮守天地之內則氣應三元以成三謂天氣地氣運氣也犯謂邪氣觸犯於生氣也邪氣數犯則生氣傾危故寶養天真以為壽命之本也庚桑楚曰聖人之制万物也以全其天天全則神全矣靈樞經曰血氣者人之神不可不謹養此之謂也蒼天之氣清淨則志意治順之則陽氣固春為蒼天發生之主也陽氣者天氣也陰陽應象大論曰清陽為天則其義也本天全神全之理全則形亦全矣雖

有賊邪弗能害也此因時之序以因天四時之氣序故賊邪之氣不能害也故聖人傳精神服天氣而通神明夫精神可傳惟圣人得道者乃能尔久服天真之氣則妙用自通於神明也失之則內閉九竅外壅肌肉衛氣散解失謂逆蒼天清淨之理也然衛氣者合天之陽氣也上篇曰陽氣者閉塞謂陽氣之病人則竅寫閉塞也靈樞經曰衛氣者所以溫分肉而充皮膚肥腠理而司開闔故失其度則內閉九竅外壅肌肉以衛不營運故言散解也分上声此謂自傷氣之削也夫逆蒼天之氣違清靜之理使正真之氣如削去之若非天降之人自爲之尔陽氣者若天與日失其所則折壽而不彰此明前陽氣之用也諭人之有陽若天之有日天失其所則日不明人失其所則陽不固日不明則天暗瞑昧陽不固則人壽夭折故天運當以日光

明言火之生固宜藉其陽氣也是故陽因而上衛外者也此所以明陽氣運行之部分輔衛人身之正用也因於寒欲如運樞起居如驚神氣乃浮欲如運樞謂內動也起居如驚謂暴卒也言因天之寒當深居周密如樞紐之內動不當煩擾筋骨使陽氣發泄於皮膚而傷於寒毒也若起居暴卒馳騁荒佚則神氣浮越无所綏寧矣脈要精微論曰冬日在骨蟄虫周密君子居室四氣調神大論曰冬三月此謂閉藏水冰地坼无擾乎陽又曰使志若伏若匿若有私意若已有得去寒就溫无泄皮膚使氣亟奪此之謂也○新校正云按全元起本作連樞元起云陽氣定如連樞者動繫也卒倉沒切佚音逸因於暑汗煩則喘喝靜則多言此則不能靜慎傷於寒毒至夏而變暑病也煩謂煩躁靜謂安靜喝謂大呵出声也言病因於暑則當汗泄不為發表邪熱內攻中外俱熱故煩躁喘數大呵而出其声也若不煩躁內熱外凉瘀熱攻

中故多言而不次也喝一爲鳴躁則到切喝呼葛切瘀依倨切體若燔炭汗出而散此重明可汗之理也然体若燔炭之炎熱者何以救之必以汗出乃熱氣施散燔一爲燥非也因於濕首如裹濕熱不攘大筋緛短小筋弛長緛短爲拘弛長爲痿表熱爲病當汗泄之反濕其首若濕物裹之望除其熱熱氣不釋兼濕內攻大筋受熱則縮而短小筋得濕則引而長縮短故拘攣而不伸引長故痿弱而无力强引也攘汝陽切除也緛音軟縮也痿於危切弱也因於氣爲腫四維相代陽氣乃竭素常氣疾濕熱加之氣濕熱爭故爲腫也然邪氣衛盛正氣侵微筋骨血肉互相代負故云四維相代也致邪代正氣不宣通衛无所從便至衰竭故言陽氣乃竭也衛者陽氣也陽氣者煩勞則張精絶辟積於夏使人煎厥此又誡起居暴卒煩擾陽和也然煩擾陽和勞疲筋骨動

傷神氣耗竭天真則筋脉膹脹精氣竭絶既傷腎氣又損膀胱故當於夏時使人煎厥以前迫而氣逆因以煎厥爲名厥謂氣逆也煎厥之狀當如下説○新校正云按脉解云所謂少氣善怒者陽氣不治陽氣不治則陽氣不得出肝氣當治而未得故善怒善怒者名曰煎厥

目盲不可以視耳閉不可以聽潰潰乎若壞都汩汩乎不可止既且傷腎又竭膀胱腎經內屬於耳中膀胱脉生於目眥故目盲所視耳閉厥聽大矣哉斯乃房之患也既盲目視又閉耳聦則志意心神筋骨腸胃潰潰乎若壞汩汩乎煩悶而不可止也汩古沒切眥在計切又前計切

陽氣者大怒則形氣絶而血菀於上使人薄厥此又誡喜怒不節過用病生也然怒則傷腎甚則氣絶大怒則氣逆而陽不下行陽逆故血積於心胷之內矣上謂心胷也然陰陽相薄氣血奔并因薄厥生故名薄厥舉痛論曰怒則氣逆甚則嘔血靈樞經曰盛怒而不止則

傷志陰陽應象大論曰喜怒傷氣由此則怒有
其氣逆血積於心胷之內矣苑積也菀去声
傷於筋縱其若不容怒而過用氣或迫筋筋絡內傷機關縱緩形容痿發
若不維持汗出偏沮使人偏枯夫人之身常漏汗出而潤濕者久久偏枯
半身不隨○新校正云按沮千金作祖全元起本作恒沮子魚切潤也汗出見濕
乃生痤疿陽氣發泄寒水制之熱怫內餘鬱於皮裏甚為痤癤微作疿瘡疿風癮也
痤昨和切疿方味切疿符弗切高梁之變足生大丁受如持虛
高膏也粱粱也不忍之人汗出淋洗則結為痤疿膏粱之人內多滯熱皮厚肉密故內變為丁
矣外濕既侵中熱相感如持虛器受此邪毒故曰受如持虛所以丁生於足者四支為諸陽之
本也以其甚費於下邪毒襲虛故尔○新校正云按丁生之處不常於足蓋謂膏粱之變饒生
大丁非偏着足也勞汗當風寒薄為皶鬱乃痤時月寒凉形劳

汗發淒風外薄膚腠居寒脂液遂凝稸於玄府依空滲涸皶刺長於皮中形如米或如針久者上黑長分餘色白黃而瘦於玄府中俗曰粉刺解表已玄府謂汗空也痤謂色赤䐜憤內蘊血膿形小而大如酸棗或如按豆此皆陽氣內蓄所爲待耎攻之大甚焫出之（鈹）纖加切（蓄）許竹切（瘈）尺制切（焫）而劣切

陽氣者精則養神柔則養筋此又明陽氣之運養也然陽氣者內化精微養於神氣外爲柔耎以固於筋動靜失宜則生諸疾

開闔不得寒氣從之乃生大僂開謂皮腠發泄闔謂玄府閉封然開闔失宜爲寒所襲內深筋絡結固虛寒則筋絡拘緛形容僂俯矣靈樞經曰寒則筋急此其類也（僂）力主切

陷脉爲瘻留連肉腠陷脉謂寒氣陷缺其脉也積寒留舍經血稽凝久瘀內攻結於肉理故發爲瘍瘻肉腠相連（瘻）力鬭切癰瘻

俞氣化薄傳爲善畏及爲驚駭言若寒中於背俞之氣變化入深而薄於藏府者則

善爲恐畏及發爲驚駭也。瘻音廔營氣不從，逆於肉理，乃生癰腫。營逆則血鬱，血鬱則熱聚爲膿，故爲癰腫也。正理論云：熱之所過，則爲癰腫。魄汗未盡，形弱而氣爍，穴俞以閉，發爲風瘧。汗出未止，形弱氣消，風寒薄之，穴俞隨閉，熱藏不出，以至於秋，秋陽復收，兩熱相合，故令振慄，寒熱相移，以所起爲風瘧，故名風瘧也。金匱眞言論曰：夏暑汗不出者，秋成風瘧。蓋論從風而爲是也。故下文曰故風者，百病之始也。清靜則肉腠閉拒，雖有大風苛毒，弗之能害，此因時之序也。夫嗜欲不能勞其目，淫邪不能惑其心，不妄作勞，是爲清淨。以其清靜，故能肉腠閉，皮膚密，眞正內拒，虛邪不侵。然大風苛毒，不必常求於人，蓋由人之冒犯爾。故清靜則肉腠閉，陽氣拒，大風苛毒，弗能害之。清淨者，謂因循四時氣序，養生調節之宜，不妄作勞，起居有度，則生氣不竭，永保康寧。故病久則傳化上下不并良醫弗爲并謂氣交通也然病之深久變化相傳上下不通陰陽否隔雖醫良法妙亦何以爲之陰陽應象大論曰夫善用鍼者從陰引陽從陽引陰以右治左以左治右若是氣相格拒故良醫弗可爲也（否）塞也故陽畜積病死而陽氣當隔隔者當寫不亟正治粗乃敗之言三陽蓄積怫結不通不急寫之亦病而死何者畜積不已亦上下不并矣何以驗之隔塞不便則其證也若不急寫粗工輕侮必見敗亡也陰陽別論曰三陽結謂之隔又曰剛與剛陽氣破散陰氣乃消亡淖則剛柔不和經氣乃絕（還）數數切下並同而主外晝則陽氣在外周身行二十五度靈樞經曰目開則氣上行於頭循氣行於陽二十五度也平旦人氣生日中而陽氣隆日西而陽氣已虛氣門乃閉隆猶高也盛也夫氣之有者皆自少而之壯積暖以成炎

炎炎極又涼物之埋也故陽氣平曉生日中盛日西而已減虛也氣門謂玄府也所以發泄經脉營衛之氣故謂之氣門也是故暮而收拒，無擾筋骨，無見霧露，反此三時，形乃困薄。皆所以順陽氣也陽出則出陽藏則藏暮陽氣衰內行陰分故宜收歛以拒虛邪擾筋骨則逆陽精耗見霧露則寒濕具侵故順此三時乃天真久遠也岐伯曰：新校正云詳篇首云帝曰此岐伯曰非相對問也陰者藏精而起亟也，陽者衛外而為固也。言在人之用也亟數也陰不勝其陽，則脉流薄疾，并乃狂。薄疾謂極虛而急數也并謂盛實也狂謂狂走或妄攀登也陽并於四支則狂陽明脉解曰四支者諸陽之本也陽盛則四支實實則能登高而歌也熱盛於身故棄衣欲走也夫如是者皆為陰不勝其陽也陽不勝其陰，則五藏氣爭，九竅不通。九竅者內屬於藏外設為

官故五藏氣爭則九竅不通也言九竅謂前陰
後陰不通兼言上七竅也若兼則目為肝之官
鼻為肺之官口為脾之官耳為腎之官舌為心
之官舌非通竅也金匱真言論曰南方赤色入
通於心開竅於耳北方黑色入通於腎開竅於二陰故也**是以聖人陳陰陽**
筋脈和同骨髓堅固氣血皆從從順也言循陰陽法近養生道
則筋脈骨髓各得其宜故氣血皆順時和氣也**如是則內外調和邪**
不能害耳目聰明氣立如故邪氣不剋故真氣獨立而如常若失
聖人之道則致疾於身故下文引曰**風客淫氣精乃亡邪傷肝也**
自此已下四科並謂失聖人之道也風氣應肝
故風淫精亡則傷肝也陰陽應象大論曰風氣
通於肝也風薄則熱起熱盛則水乾水乾則腎
氣不營故精乃无也亡夭也○新校正云按全
元起云淫氣者陰陽之亂氣因其相亂而風客之則傷精傷精則邪入於肝也**因而飽**

食筋脉横解腸澼為痔甚飽則腸胃横滿腸胃滿則筋脉解而不屬故腸澼而為痔也痺論曰飲食自倍腸胃乃傷此傷之信也澼普擊切因而大飲則氣逆飲多則肺布葉舉故氣逆而上奔也因而強力腎氣乃傷高骨乃壞強力謂強力入房也高骨謂腰高之骨也然強力入房則精耗精耗則腎傷腎傷則髓氣內枯故高骨壞而不用也聖人交會則不如此當如下句云凡陰陽之要陽密乃固陰陽交會之要者正在於陽氣閉密而不妄泄爾密不妄泄乃生氣強固而能久長此聖人之道也兩者不和若春無秋若冬無夏兩謂陰陽和謂和合則交會也若如也言絕陰陽和合之道者如天四時有春无秋有冬无夏也所以然者絕廢於生成也故聖人不絕和合之道但貴於閉密以守固天真法也因而和之是謂聖度因陽氣盛發中外相應貴勇有餘乃相交合則聖人交會之制

度也故陽強不能密陰氣乃絶陽自強而不能閉密則陰泄寫而精氣竭絶矣陰平陽祕精神乃治陰氣和平陽氣閉密則精神之用日益治也陰陽離決精氣乃絶若陰不和平陽不閉密強用施寫損耗天真二氣分離經絡決憊則精氣不化乃絶流通也因於露風乃生寒熱因於露体觸冒風邪風氣外侵陽氣內拒風陽相薄故寒熱生是以春傷於風邪氣留連乃為洞泄風氣通肝春肝木王木勝脾土故洞泄生也○新校正云按陰陽應象大論曰春傷於風夏生飧泄夏傷於暑秋為痎瘧夏熱已甚秋陽復收陽熱相攻則為痎瘧痎老也亦曰瘦也秋傷於濕上逆而欬溼謂地溼氣也秋溼既勝冬水復王水來乘肺故欬逆病生○新校正按陰陽應象大論云秋傷於溼冬生欬嗽發為痿厥溼氣內攻於藏府則欬逆外散於筋脉則痿弱也陰

陽應象大論曰地之濕氣感則害皮肉筋脈故濕氣之資發爲痿厥厥謂逆氣也冬傷於寒春必溫病冬寒且凝春陽氣發寒不爲釋陽怫于中寒怫相持故爲溫病○新校正云按此与陰陽應象大論重彼注甚詳四時之氣更傷五藏寒暑溫涼遞相勝負故四時之氣更傷五藏之和也陰之所生本在五味陰之五宮傷在五味所謂陰者五神藏也宮者五神之舍也言五藏所生本資於五味五味宣化各湊於本宮雖因五味以生亦因五味以損正爲好而過節乃見傷也故下文曰是故味過於酸肝氣以津脾氣乃絕酸多食之令人癃小便不利則肝多津液津液內溢則肝葉舉肝葉舉則脾經之氣絕而不行何者木制土也味過於鹹大骨氣勞短肌心氣抑鹹多食之令人肌膚縮短又令心氣抑滯而不行何者鹹走血也大骨氣勞鹹歸腎也味過於甘心氣喘

滿，色黑，腎氣不衡。甘多食之，令人心悶；甘性滯緩，故令氣喘滿而腎不平。何者？土剋水也。衡，平也。味過於苦，脾氣不濡，胃氣乃厚。苦性堅燥，又益脾胃，故脾氣不濡，胃氣強厚。味過於辛，筋脉沮弛，精神乃央。沮，潤也。弛，緩也。央，久也。辛性潤澤，散養於筋，故令筋緩脉潤，精神長久。何者？辛補肝也。《藏氣法時論》曰：肝欲散，急食辛以散之，用辛補之。○新校正云：按此論味過所傷，難作精神長久之解。央乃殃也，古文通用，如膏粱之作高梁，草滋之作草茲之類。蓋古文簡略，字多假借用者也。是故謹和五味，骨正筋柔，氣血以流，湊理以密，如是則氣骨以精，謹道如法，長有天命。是所謂修養天眞之至道也。

○金匱眞言論篇第四

新校正云：按全元起注本在第四卷。

黃帝問曰：天有八風，經有五風，何謂？經謂經脉，所以流通營衛血氣者也。岐伯對曰：八風發邪以爲經風，觸五藏邪氣發病。原其所起，則謂八風發邪，經脉受之，則循經而觸於五藏，以邪干正，故發病也。所謂得四時之勝者，春勝長夏，長夏勝冬，冬勝夏，夏勝秋，秋勝春，所謂四時之勝也。春木夏火長夏土秋金冬水，皆以所剋殺而爲勝也。言五時之相勝者，不謂八風中人則病，各謂隨其不勝則發病也。勝謂制剋之也。東風生於春，病在肝，俞在頸項。春氣發榮於萬物之上，故俞在頸項。曆忌曰：甲乙不治頸。此之謂也。南風生於夏，病在心，俞在胷脇。心少陰脉循胷出脇，故俞在焉。西風生於秋，病在肺，俞在肩背。肺處上焦，背爲胷府，肩背相次，故俞在焉。北風生於冬病在腎，俞在腰股。腎爲腎府，股接次之，以氣相連，故兼言也。中央爲土，病在脾，俞在脊。以脊應土，言居中爾。故春氣者病在頭，春氣謂肝氣也，各隨其藏氣之所應。新校正云：按周禮云：春時有痟首疾。○夏氣者病在藏，心之應也。秋氣者病在肩背，肺之應也。冬氣者病在四支。四支氣少，寒毒善傷，隨所受邪則爲病處。故春善病鼽衄，以氣在頭也。禮記月令曰：季秋行夏令，則民多鼽嚏。仲夏善病胷脇，心之脉循胷脇故也。長夏善病洞泄寒中，土主於中，是爲倉廪，糟粕水穀，故爲洞泄寒中也。秋善病風瘧，以涼折暑，暑乃爲是病。生氣通天論曰：魄汗未盡，形弱而氣爍，穴俞以閉，發爲風瘧。此謂以涼折暑之義也。禮記月令曰：孟秋行夏令，則民多瘧疾。冬善病痺厥，以血象於水，寒則水凝，以氣薄流，故爲痺厥。故冬不按蹻，春

不鼽衄按謂按摩蹻謂如蹻捷者之舉動手足是所謂導引也然擾動筋骨則陽氣不
藏春𤅢氣上升重熱熏肺肺通於鼻病則形之故冬不按蹻春不鼽衄鼽謂鼻中水出衄謂鼻
中血出鼽音喬春不病頸項仲夏不病胷脇長夏不病
洞泄寒中秋不病風瘧冬不病痺厥飧泄而汗
出也此上五句並為冬不按蹻之所致也○新校正云詳飧泄而汗出也六字上文疑剩
夫精者身之本也故藏於精者春不病溫此正謂冬
不按蹻則精氣伏藏以陽不妄升故春無溫病夏暑汗不出者秋成風
瘧此正謂以風涼之氣折暑汗也○新校正云詳此下義與上文不相接此平人
脉法也謂平病人之脉法也故曰陰中有陰陽中有陽言其
初起與其王也平旦至日中天之陽陽中之陽也日中

至黃昏天之陽陽中之陰也（日中陽盛故曰陽中之陽黃昏陰盛故曰陽中之陰陰陽氣主晝故平旦至黃昏皆爲天之陽而中復有陰陽之殊耳）合夜至雞鳴天之陰陰中之陰也雞鳴至平旦天之陰陰中之陽也（雞鳴陽氣未出故曰天之陰平旦陽氣已升故曰陰中之陽）故人亦應之夫言人之陰陽則外爲陽内爲陰言人身之陰陽則背爲陽腹爲陰言人身之藏府中陰陽則藏者爲陰府者爲陽（藏謂五神藏府謂六化府）肝心脾肺腎五藏皆爲陰膽胃大腸小腸膀胱三焦六府皆爲陽（靈樞經曰三焦者上合於手心主又曰足三焦者太陽之別名也正理論曰三焦者有名無形上合於手心主下合右腎主謁道諸氣名爲使者）所以

欲知陰中之陰陽中之陽者何也爲冬病在陰夏病在陽春病在陰秋病在陽皆視其所在爲施鍼石也故背爲陽陽中之陽心也心爲陽藏位處上焦以陽居陽故爲陽中之陽也靈樞經曰心爲牡藏牡陽也背爲陽陽中之陰肺也肺爲陰藏位處上焦以陰居陽故謂陽中之陰也靈樞經曰肺爲牝藏牝謂陰也腹爲陰陰中之陰腎也腎爲陰藏位處下焦以陰居陰故謂陰中之陰也靈樞經曰腎爲牝藏牝陰也腹爲陰陰中之陽肝也肝爲陽藏位處中焦以陽居陰故謂陰中之陽也靈樞經曰肝爲牡藏牡陽也腹爲陰陰中之至陰脾也脾爲陰藏位處中焦以太陰居陰故謂陰中之至陰也靈樞經曰脾爲牝藏牝陰也此皆陰陽表裏內外雌雄相輸應也故以

應天之陰陽也（以其氣象參合故能上應於天）帝曰五藏應四時各有收受乎岐伯曰有東方青色入通於肝開竅於目藏精於肝（精謂精氣也木精之氣其神魂陽升之方以目爲用故開竅於目）其病發驚駭（象木屈伸有搖動也○新校正詳東方云病發驚駭餘方各闕者按五常政大論委和之紀其發驚駭疑此文爲衍）其味酸其類草木（性柔脆而曲直）其畜雞（以雞爲畜取巽言之易曰巽爲雞）其穀麥（五穀之長者麥故東方用之本草曰麥爲五穀之長○新校正按五常政大論云其畜犬其穀麻）其應四時上爲歲星（木之精氣上爲歲星十二年一周天）是以春氣在頭也（萬物發榮於上故春氣在頭○新校正詳東方言春氣在頭不言故病在頭餘方言故病在某不言某氣在某者互文也）其音角（角木聲也孟春之月律中大蔟林鍾所生三分益一管率長八寸仲春之月律中夾

鍾夷則所生三分益一管率長七寸五分○新校正按鄭康成云七寸二千一百八十七分寸之千
七十五○季春之月律中姑洗南呂所生三分益一管率長七寸又一十分寸之一○新校正按鄭
康成云九分寸之一○凡是三管皆木氣應之其數八木生數三成數八尚書洪範曰三曰
木是以知病之在筋也木之堅柔類筋氣故其臭臊凡氣因木變則
為臊○新校正云詳臊月令作羶南方赤色入通於心開竅於耳
藏精於心火精之氣其神神舌為心之官當言於舌舌用非竅故云耳也繆刺論曰手少
陰之絡會於耳中義取此也故病在五藏以夏氣在藏也其味苦其類
火性炎上而燔灼爇音熱其畜羊以羊為畜言其未也以土同王數通而言之○新校
正云按五常政大論云其畜馬其穀黍黍色赤其應四時上為熒惑
星火之精氣上為熒惑星七百四十日一周天是以知病之在脈也火之躁動

類於麻氣。其音徵，徵火聲也。孟夏之月律中仲呂，無射所生，三分益一，管率長六寸七分。新校正云：按鄭康成云：六寸萬九千六百八十三分寸之萬二千九百七十四。神夏之月律中蕤賓，應鍾所生，三分益一，管率長六寸三分。新校正云：按鄭康成云：六寸八十一分寸之二十六。季夏之月律中林鍾，黃鍾所生，三分減一，管率長六寸。凡是三管，皆火氣應之。其數七，火生數二，成數七。尚書洪範曰：二曰火。其臭焦。凡氣因火變則爲焦。

中央黃色，入通於脾，開竅於口，藏精於脾，土精之氣，其神意。脾爲化穀，口上迎糧，故開竅於口。故病在舌本，脾脈上連於舌本，故病氣居之。其味甘，其類土，性安靜而化造。其畜牛，土王四季，故畜取丑牛。又以牛色黃也。其穀稷，色黃而味甘也。其應四時，上爲鎮星，土之精氣上爲鎮星，二十八年一周天。是以知病之在肉也，土之柔厚類肉。

氣故其音宮宮土声也律書以黃鍾爲濁宮林鍾爲清宮蓋以林鍾當六月管也五音
以宮爲土律呂初起於黃鍾爲濁宮林鍾爲清宮也其數五土數五尚書洪範曰五曰
土其臭香凡氣因土變則爲香西方白色入通於肺開竅
於鼻藏精於肺金精之氣其神鬼肺藏氣鼻通息故開竅於鼻故病在
背以肺在背中背爲胸中之府也其味辛其類金性音声而堅勁其畜
馬畜馬者取乾也易曰乾爲馬。新校正云按五常政大論云其畜雞其穀稻稻堅
白其應四時上爲太白星金之精氣上爲太白星三百六十五日一
周天是以知病之在皮毛也金之堅密類皮毛也其音商商金
声也孟秋之月律中夷則大呂所生三分減一管率長五寸七分仲秋之月律中南呂大簇所
生三分減一管率長五寸三分季秋之月律中無射夾鍾所生三分減一管率長五寸凡是三

皆金氣應之其數九金生數四成數九尚書洪範曰四曰金其臭腥凡氣因金變則為腥膻之氣也北方黑色入通於腎開竅於二陰藏精於腎水精之氣其神志腎藏精陰泄注故開竅於二陰也故病在谿谿謂肉之小會也氣穴論曰肉之大會為谷肉之小會為谿其味鹹其類水性潤下而滲灌其畜彘彘豕也彘直利切其穀豆豆黑色其應四時上為辰星水之精氣上為辰星三百六十五日一周天是以知病之在骨也骨主幽暗骨体内藏以類相同故病居骨也其音羽羽水聲也孟冬之月律中應鍾姑洗所生三分減一管率長四寸七分分半仲冬之月律中黃鍾仲呂所生三分益一管率長九寸季冬之月律中大呂蕤賓所生三分益一管率長八寸四分凡是三管皆水氣應之其數六水生數一成數六尚書洪範曰一曰水其臭腐凡氣

因水变則爲腐朽之氣也故善爲脉者謹察五藏六府一逆一從陰陽表裏雌雄之紀藏之心意合心於精心合精微則深知通變非其人勿教非其真勿授是謂得道隨其所能而與之是謂得師資教授之道也靈樞經曰明目者可使視色聰耳者可使以聽捷疾辭語者可使論語徐而安靜手巧而心審諦者可使行鍼艾理血氣而調諸逆順察陰陽而兼諸方緩節柔筋而心和調者可使導引行氣疾毒言語輕人者可使唾癰呪病爪苦手毒爲事善傷者可使按積抑痺由是則各得其能方乃可行其名乃彰故曰非其人勿教非其真勿授也

新刊黄帝内經素問卷第一

新刊黃帝內經素問卷第二

啓玄子次註林億孫奇高保衡等奉敕校正孫兆重改誤

陰陽應象大論　陰陽離合論

陰陽別論

○陰陽應象大論篇第五

新校正云按全元起本在第九卷

黃帝曰陰陽者天地之道也謂變化生成之道也老子曰萬物負陰而抱陽冲氣以爲和易繫辭曰一陰一陽之謂道此之謂也萬物之綱紀滋生之用也陽與之正氣以生陰爲之主持以立故爲萬物之綱紀也陰陽離合論曰陽與之正陰爲之主則謂此也變化之父母異類之用也何者然鷹化爲鳩田鼠化爲鴽腐草化爲螢雀入大水爲蛤雉入大水爲蜃如此皆異類因變化而成者也生殺之本

始寒暑之用也萬物假陽氣溫而生因陰氣寒而死故知生殺本始是陰陽之所運爲也神明之府也府宮府言所以生殺變化之多端者何哉以神明居其中也下文曰天地之動靜神明爲之綱紀故易繫辭曰陰陽不測之謂神亦謂居其中也。新校正云詳陰陽至神明之府與天元紀大論同註頗異治病必求於本陰陽與萬類生殺變化猶然在於人身同相參合故治病之道必先求之故積陽爲天積陰爲地言陰陽爲天地之道者何以此陰靜陽躁言應物類運用之標格也陽生陰長陽殺陰藏明前天地生殺之殊用也神農曰天以陽生陰長地以陽殺陰藏。新校正云詳陰長陽殺之義或若疑之按周易八卦布四方之義則可見矣坤者陰也位西南隅時在六月七月之交萬物之所盛長也安謂陰無長之理乾者陽也位戌亥之分時在九月十月之交萬物之所收殺也孰謂陽無殺之理以是明之陰長陽殺之理可見矣此語又見天元紀大論其說自異矣陽化氣陰成形明前萬物滋生之綱紀也寒極生熱熱極生寒明前之大體也寒氣生濁熱氣生清言正氣也清氣在下則生飧泄濁氣在上則生䐜脹熱氣在下則穀不化故飧泄寒氣在上則氣不散故䐜脹何者以陰靜而陽躁也䐜昌真切肉脹起也此陰陽反作病之逆從也反謂反覆作謂作務反覆作務則病如是故清陽為天濁陰為地地氣上為雲天氣下為雨雨出地氣雲出天氣陰凝上結則合以成雲陽散下流則注而為雨雨從雲以施化故言雨出地雲憑氣以交合故言雲出天天地之理且然人身清濁亦如是也故清陽出上竅濁陰出下竅氣本乎天者親上氣本乎地者親下各從其類也上竅謂耳目鼻口下竅謂前陰後陰清陽發腠理濁陰

走五藏腠理謂滲泄之門故清陽可以散發五藏爲包藏之所故濁陰可以走之滲所
禁切清陽實四支濁陰歸六府四支外動故清陽實之六府內化故
濁陰歸之水爲陰火爲陽水寒而靜故爲陰火熱而躁故爲陽陽爲氣
陰爲味氣惟散布故陽爲之味曰從形故陰爲之味歸形形歸氣氣
歸精精歸化形食味故味歸形氣養形故形歸氣精食氣歸精化生精故精歸化
故下文曰精食氣形食味氣化則精生味和則形長故云食之也化生
精氣生形精微之液惟血化而成形質之有資氣行營立故斯二者各奉注乎味
傷形氣傷精過其節也精化爲氣氣傷於味精承化養食則食
氣精若化生則不食氣精血內結鬱爲穢腐攻胃則五味倨然不得入於女人重身精化百日
皆傷於味也陰味出下竅陽氣出上竅味有質故下流於便瀉之

竅氣無形故上出於呼吸之門味厚者爲陰薄爲陰之陽氣厚
者爲陽薄爲陽之陰陽爲氣氣厚者爲純陽陰爲味味厚者爲純陰故味
薄者爲陰中之陽氣薄者爲陽中之陰味厚則泄薄則通氣薄則
發泄厚則發熱陰氣潤下故味厚則泄利陽氣炎上故氣厚則發熱味薄爲陰
少故通泄氣薄爲陽少故汗出發與謂汗出也壯火之氣衰少火之氣
壯火之壯者壯已必衰火之少者少已則壯壯火食氣氣食少火壯
火散氣少火生氣氣生壯火故云壯火食氣少火滋氣故云氣食少火以壯
火食氣故氣得壯火則耗散以少火益氣故氣得少火則生長人之陽氣壯少亦然氣味
辛甘發散爲陽酸苦涌泄爲陰非推氣味分正陰陽然辛甘酸
苦之中復有陰陽之殊氣爾何者辛散甘緩故發散爲陽酸收苦泄故涌泄爲陰之也陰

勝則陽病陽勝則陰病勝則不病不勝則病陽勝則熱陰
勝則寒是則大過而致也○新校正云按甲乙經作陰病則熱陽病則寒文異意同
重寒則熱重熱則寒物極則反亦猶壯火之氣衰少火之氣壯也寒
傷形熱傷氣寒則衛氣不利故傷形熱則榮氣內消故傷氣雖陰成形陽化氣一
過其節則形氣被傷氣傷痛形傷腫氣傷則熱結於肉分故痛形傷則寒薄於
皮腠故腫故先痛而後腫者氣傷形也先腫而後痛
者形傷氣也先氣證而病形故曰氣傷形先形證而病氣故曰形傷氣風勝
則動風勝則庶物皆搖故為動○新校正云按左傳曰風淫末疾即此義也熱勝
則腫熱勝則陽氣內鬱故洪腫暴作甚則榮氣逆於肉理聚為癰膿之腫燥勝則
乾燥勝則津液竭涸故皮膚乾燥寒勝則浮寒勝則陰氣結於玄府玄府閉密陽

氣內攻故爲浮濕勝則濡寫濕勝則內攻於脾胃脾胃受濕則水穀不分水穀相和故大腸傳道而注寫也以濕內盛而寫故謂之濡寫○新校正按左傳曰雨淫腹疾則其義也風勝則動至此五句與六元正紀大論文重彼註頗詳天有四時五行以長生收藏以生寒暑燥濕風春生夏長秋收冬藏謂四時之生長收藏冬小寒夏大暑秋金燥春木風長夏土濕謂五行之寒暑濕燥風也然四時之氣王雖寄王原其所主則濕屬中央故云五行以生寒暑燥濕風五氣也人有五藏化五氣以生喜怒悲憂恐五藏謂肝心脾肺腎五氣謂喜怒悲憂恐然是五氣更傷五藏之和氣矣○新校正云按天元紀大論悲作思又本篇下文肝在志爲怒心在志爲喜脾在志爲思肺在志爲憂腎在志爲恐王機眞藏論作悲諸論不同皇甫士安甲乙經精神五藏篇具有其說蓋言悲者以悲能勝怒取五志迭相勝而爲言也舉思者以思爲脾之志也

各舉之則義俱不足兩見之則互相成義也故喜怒傷氣寒暑傷形喜怒之所生皆生於氣故云喜怒傷氣寒暑傷所勝皆勝於形故云寒暑傷形近取諸凡則如斯矣細而言者則熱傷於氣寒傷於形暴怒傷陰暴喜傷陽怒則氣上喜則氣下故暴卒氣上則傷陰暴卒氣下則傷陽厥氣上行滿脉去形厥氣逆也逆氣上行滿於經絡則神氣浮越去離形骸也喜怒不節寒暑過度生乃不固靈樞經曰智者之養生也必順四時而適寒暑和喜怒而安居處然喜怒不常寒暑過度天年之氣何可久長故重陰必陽重陽必陰言傷寒傷暑亦如是故曰冬傷於寒春必病溫夫傷於四時之氣皆能為病以傷寒為毒者最為殺厲之氣中而即病故曰傷寒不即病者寒毒藏於肌膚至春變為溫病至夏變為暑病故養生者必慎傷於邪也春傷於風夏生飧泄

風中於表，則內應於肝，肝氣乘脾，故飧泄。○新校正云：按生氣通天論云：春傷於風，邪氣留連，乃爲洞泄。夏傷於暑，秋必痎瘧。夏暑已甚，秋熱復收，兩熱相攻，故爲痎瘧。痎，瘦也。秋傷於濕，冬生欬嗽。秋濕既多，冬水復王，水濕相得，肺氣又衰，故冬寒甚則爲嗽。○新校正云：按生氣通天論云：秋傷於濕，上逆而欬，發爲痿厥。帝曰：余聞上古聖人論理人形，列別藏府，端絡經脉，會通六合，各從其經，氣穴所發，各有處名，谿谷屬骨，皆有所起，分部逆從，各有條理，四時陰陽，盡有經紀，外內之應，皆有表裏，其信然乎？六合謂十二經脉之合也。靈樞經曰：太陰陽明爲一合，少陰太陽爲一合，厥陰少陽爲一合，手足之脉各三，則爲六合也。手厥陰則心包絡脉也。氣穴論曰：肉之大會爲谷，肉之小會爲谿，肉分之間，谿

谷之會以行榮衛以會大氣屬骨者爲骨相連
屬動表裏者諸陽經脈皆爲表諸陰經脈皆爲
裏○新校正云詳帝曰至岩其然乎全
元起本及大素在上古聖人之教也上岐伯對
曰東方生風陽氣上騰散爲風也風者天之號令風爲教始故生自東方風
生木風鼓木榮則風生木也木生酸凡物之味酸者皆木氣之所生也尚書洪
範曰曲直作酸酸生肝生謂生長也凡味之酸者皆先生長於肝肝生筋肝之
精氣生養筋也筋生心陰陽書曰木生火然肝之木氣內養筋已乃生心火肝主
目目見曰明類齊同也其在天爲玄玄謂玄冥言天色高遠尚未盛明也在
人爲道道謂道化以道而化人則歸從在地爲化化謂造化也庶類時育皆
造化者也化生五味万物生五味具皆變化爲母而使生成也道生智智從
正化而有故曰道生智玄生神玄冥之內神處其中故曰玄生神神在天

為風飛揚鼓坼風之用也然發而周遠無所不通信乎神化而能尔在地為木柔軟曲直木之性也○新校正云詳其在天至為木与天元紀大論同注頗異在體為筋束絡連綴而為力也在藏為肝其神魂也道經義曰魂居肝魂靜則至道不乱在色為蒼蒼謂薄青色象木色也在音為角角謂木音調而直也樂記曰角乱則憂其民怨在聲為呼呼謂叫呼亦謂之嘯在變動為握握所以牽就也○新校正云按楊上善云握憂噦欬慄五者改志而有名曰变動也在竅為目目所以司見形色在味為酸酸可用收斂也在志為怒怒所以禁非也怒傷肝雖志為怒甚則自傷悲勝怒悲則肺金并於肝木故勝怒也宣明五藏氣論曰精氣并於肺則悲○新校正云詳五志云怒喜思憂恐悲當云憂今变憂為悲者蓋以恚憂而不解則傷意悲哀而動中則傷魂故不云憂也風傷筋風勝則筋絡拘

总○新校正云按五運行大論曰風傷肝燥勝風燥爲金氣故勝木風酸傷筋過節也辛勝酸辛金味故勝木酸南方生熱陽氣炎爍故生熱熱生火鑽燧改火惟熱是生火生苦凡物之味苦者皆火氣之所生也尚書洪範曰炎上作苦苦生心凡味之苦者皆先生長於心心生血心之精氣生養血也血生脾陰陽書曰火生土然心火之氣內養血已乃生脾土○新校正云按大素血作脈心主舌心別是非舌以言事故主舌其在天爲熱暄暑熾燠熱之用也在地爲火炎上翕赩火之性也赩許極切在體爲脈通行榮衛而養血也在藏爲心其神神也道經義曰神處心神守則血氣流通在色爲赤象火也在音爲徵徵謂火音和而美也樂記曰徵亂則哀其事勤在聲爲笑笑喜声也在變動爲憂憂可以成務○新校正云按楊上善云心之憂在心

變動肺之憂在肺之志是則肺主於秋憂爲正也而心主於憂變而生憂也**在竅爲舌**舌所以司辨五味也金匱眞言論曰南方赤色入通於心開竅於耳尋其爲竅則舌義便乖以其主味故云舌也**在味爲苦**苦可用燥泄也**在志爲喜**喜所以和樂也**喜傷心**雖志爲喜甚則自傷**恐勝喜**恐則腎水并於心火故勝喜也宣明五氣篇曰精氣并於腎則恐**熱傷氣**熱勝則喘息促急**寒勝熱**寒爲水氣故勝火熱**苦傷氣**以人生也○新校正云詳此篇論所傷之旨其例有三東方云風傷筋酸傷筋中央云濕傷肉甘傷肉是自傷者也南方云熱傷氣苦傷氣北方云寒傷血鹹傷血是傷巳所勝西方云熱傷皮毛是被勝傷巳辛傷皮毛是自傷者也凡此五方所傷有此三例不同大素則俱云自傷**鹹勝苦**鹹水味故勝火苦**中央生濕**陽氣盛薄陰氣固升升薄相合故生濕也易義曰陽上薄陰陰能固之然後蒸而爲雨明濕生於固陰之

氣也。新校正云按楊上善云六月四陽二陰合蒸以生濕氣也濕生土土濕則固
明濕生也。新校正云按楊上善云四陽二陰合而為濕蒸腐万物成土也土生甘
凡物之味甘者皆土氣之所生也尚書洪範曰稼穡作甘甘生脾凡味之甘者皆先生
長於脾脾生肉脾之精氣生養肉也肉生肺陰陽書曰土生金然脾土之氣
內養肉已乃生肺金脾主口脾受水穀口納五味故主口其在天為濕
霧露雲雨溼之用也在地為土安靜稼穡土之德也在體為肉覆裹筋骨
充其形也在藏為脾其神意也道經義曰意託脾意寧則智无散越在色為
黃象土色在音為宮宮謂土音大而和也樂記曰宮乱則荒其君驕在聲
為歌歌嘆声也在變動為噦噦謂噦噫胃寒所生。新校正云詳王謂噦為
噦噫噫非噦也按楊上善云噦氣游也噦乙劣切噫烏界切在竅為口口所以司

納水穀在味爲甘甘可用寬緩也在志爲思思所以知遠也思傷
脾雖志爲思甚則自傷怒勝思怒則不思勝可知矣濕傷肉脾主肉而惡濕
故濕勝則肉傷風勝濕風爲木氣故勝土濕甘傷肉亦過節也○新校正云按
五運行大論云甘傷脾酸勝甘酸木味故勝土甘西方生燥天氣急切
故生燥燥生金金燥有声則生金也金生辛凡物之味辛者皆金氣之所生
也尚書洪範曰從革作辛辛生肺凡味之辛者皆先生長於肺肺生皮毛
肺之精氣生養皮毛皮毛生腎陰陽書曰金生水然肺金之氣養皮毛已乃生腎水
肺主鼻肺藏氣鼻通息故主鼻其在天爲燥輕急勁強燥之用也在
地爲金堅勁從革金之性也在體爲皮毛包藏膚腠捍其邪也在藏
爲肺其神魄也道經義曰魄在肺魄安則德修壽延在色爲白象金色在

音爲商（商謂金声輕而勁也樂記曰商乱則陂其官壞）在聲爲哭（哭哀声也）在變動爲欬（欬謂欬敷所以利咽喉也）在竅爲鼻（鼻所以司嗅呼吸）在味爲辛（辛可用散潤也）在志爲憂（憂深慮也）憂傷肺（雖志爲憂過則損也）喜勝憂（喜則心火并於肺金故勝憂也宣明五氣篇曰精氣并於心則喜）熱傷皮毛（熱從火生耗津液故傷皮毛熱勝燥又按王注五運行大論云火有二別故此再舉熱傷之形證）寒勝熱（陰制陽也○新校正云按大素作燥）辛傷皮毛（過而招損）苦勝辛（苦火味故勝金辛）北方生寒（陰氣凝冽故生寒也）寒生水（寒氣盛凝變爲水）水生鹹（凡物之味鹹者皆水氣之所生也尚書洪範曰潤下作鹹）鹹生腎（凡味之鹹者皆先生長於腎）腎生骨髓（腎之精氣生養骨髓）髓生肝（陰陽書曰水生木然腎水之氣養骨髓已乃生肝木）腎主耳

腎居北方位居幽暗聲入故主耳其在天為寒凝清慘冽寒之用也在地為水清潔潤下水之用也在體為骨端直貞幹以立身也在藏為腎其神志也道經義曰志藏腎志營則骨髓滿實在色為黑象水色在音為羽羽謂水音沉而深也樂記曰羽亂則危其財匱在聲為呻呻吟聲也在變動為慄慄謂戰慄甚寒大恐而悉有之在竅為耳耳所以司聽五音○新校正云按金匱真言論云開竅於二陰蓋以心寄竅於耳故與此不同在味為鹹鹹[illegible]用柔而耎也在志為恐恐所以懼惡也恐傷腎恐而不已則內感於腎故傷也靈樞經曰恐懼而不解則傷精明感腎也思勝恐思深慮遠則見事源故勝恐也寒傷血寒則血凝傷可知也○新校正云按大素血作骨燥勝寒燥從熱生故勝寒也○新校正云按大素燥作濕鹹傷血食鹹而渴傷血可知○新校正云按大素

血作骨甘勝鹹甘土味故勝水鹹○新校正云詳自前歧伯對曰至此與五運行論同兩注頗異當並用之故曰天地者萬物之上下也覩其覆載而萬物之上下可知矣陰陽者血氣之男女也陰主血陽主氣陰生女陽生男左右者陰陽之道路也陰陽間氣左右循環故左右為陰陽之道路也○新校正云詳間氣之說具六微旨大論中機上善云陰氣右行陽氣左行謂此也水火者陰陽之徵兆也觀水火之氣則陰陽徵兆可明矣陰陽者萬物之能始也謂能為變化生成之元始○新校正云詳天地者至萬物之能始與天元紀大論同注頗異彼無陰陽者血氣之男女一句又以金木者生成之終始代陰陽者萬物之能始故曰陰在內陽之守也陽在外陰之使也陰靜故為陽之鎮守陽動故為陰之役使帝曰法陰陽柰何歧

伯曰陽勝則身熱腠理閉喘麤爲之俛仰汗不出而熱齒乾以煩寃腹滿死能冬不能夏陽勝故能冬熱甚故不能夏能奴代切下能夏形能並同上陰勝則身寒汗出身常清數慄而寒寒則厥厥則腹滿死厥謂氣逆能夏不能冬陰勝故能夏寒甚故不能冬此陰陽更勝之變病之形能也帝曰調此二者奈何調謂順天癸性而治身之血氣精氣也岐伯曰能知七損八益則二者可調不知用此則早衰之節也用謂房色也女子以七七爲天癸之終丈夫以八八爲天癸之極然知八可益知七可損則各隨氣分脩養天真終其天年以度百歲上古天真論曰女子二七天癸至月事以時下丈夫二八天癸至精氣溢寫然陰七可損則海滿而血自下陽八

宜益之以八會而曲精由此則七損八益理可知矣年四十而陰氣自半也起居衰矣內耗故陰減中乾故氣力始衰靈樞經曰人年四十腠理始疏榮華頹落髮斑白由此之節言之亦起居衰之次也年五十體重耳目不聰明矣衰之漸也年六十陰痿氣大衰九竅不利下虛上實涕泣俱出矣衰之甚矣故曰知之則強不知則老知謂知七損八益全形保性之道也故同出而名異耳同謂同於好欲異謂異其老壯之名智者察同愚者察異智者察同欲之間而能性道愚者見形容別異方乃效之自性則道益有餘放效則治生不足故下文曰放方兩反愚者不足智者有餘先行故有餘後學故不足有餘則耳目聰明身體輕強老者復壯壯者益治夫保性全形盡內知道之所致也故

（曰道者不可斯須離可離非道此之謂也）是以聖人爲無爲之事樂恬憺之能從欲快志於虛無之守故壽命無窮與天地終此聖人之治身也（聖人不爲無益以害有益不爲害性而順性故壽命長遠與天地終庚桑楚曰聖人之於聲色滋味也利於性則取之害於性則損之此全性之道也書曰不作無益害有益也）天不足西北故西北方陰也而人右耳目不如左明也（在上故法天）地不滿東南故東南方陽也而人左手足不如右強也（在下故法地）帝曰何以然岐伯曰東方陽也陽者其精并於上并於上則上明而下虛故使耳目聰明而手足不便也西方陰也陰者其精并於下

并於下則下盛而上虛故其耳目不聰明而手足便也故俱感於邪其在上則右甚在下則左甚此天地陰陽所不能全也故邪居之夫陰陽之應天地徧水之往器也器圓則水圓器曲則水曲人之血氣亦如是故隨不足則邪氣留居之（并）去聲故天有精地有形天有八紀地有五里陽爲天降精氣以施化陰爲地布和氣以成形五行爲生育之井里八風爲變化之綱紀八紀者八節之紀五里謂五行化育之里故能爲萬物之父母陽天化氣陰地成形五里運行八風鼓坼收藏生長無替時宜夫如是故能爲萬物變化之父母也清陽上天濁陰歸地所以能爲萬物之父母者何以有是之升降也是故天地之動靜神明爲之綱紀清陽上天濁陰歸地然其動靜誰所主司蓋由神明

之綱紀備上文曰神明之府此之謂也故能以生長收藏終而復始神明之運爲乃能如是惟賢人上配天以養頭下象地以養足中傍人事以養五藏頭圓故配天足方故象地人事更易五藏遞遷故從下而養也天氣通於肺居高故地氣通於嗌次下故嗌伊昔反風氣通於肝風生木故雷氣通於心雷象火之有声故谷氣通於脾谷空虛脾受納故雨氣通於腎腎主水故○新校正云按千金方云風氣應於肝雷氣動於心穀氣感於脾雨氣潤於腎六經爲川流注不息故腸胃爲海以皆受納也靈樞經曰胃爲水穀之海九竅爲水注之氣精明者象水之內明流注者象水之流注以天地爲之陰陽以人事配象則近指天地以爲陰陽陽之汗以天地之雨名之

夫人汗泄於皮腠者是陽氣之發泄爾然其取類於天地之間則雲騰雨降而相似也故曰陽之汗以天地之雨名之陽之氣以天地之疾風名之陽氣發散疾風飛揚故以應之舊經無名之二字尋前類例故加之暴風象雷暴風鼓擊鳴轉有聲故逆氣象陽逆氣陵上陽氣亦然故治不法天之紀不用地之理則災害至矣背天之紀違地之理則六經反作五氣更傷眞氣既傷則災害之至可知矣○新校正云按上文天有八紀地有五里此文注中理字當作里故邪風之至疾如風雨至謂至於身形故善治者治皮毛止於萌牙其次治肌膚救其已生其次治筋脈攻其已病其次治六府治其已甚其次治五藏治五藏者半死半生也治其已成神農曰病勢已成可得半愈然初成者獲愈固久者伐形故治五藏者半

【生半死半生】故天之邪氣感則害人五藏【四時之氣八正之風皆天邪也金匱真言論曰八風發邪以為經風觸五藏邪氣發病故天之邪氣感則害人五藏】水穀之寒熱感則害於六府【熱傷胃及膀胱寒傷腸及膽氣】地之濕氣感則害皮肉筋脈【濕氣勝則榮衛之氣不行故感則害於皮肉筋脈】故善用鍼者從陰引陽從陽引陰以右治左以左治右以我知彼以表知裏以觀過與不及之理見微得過用之不殆【深明故也】善診者察色按脈先別陰陽【別於陽者則知病處別於陰者則知死生之期】審清濁而知部分【謂察色之青赤黃白黑也部分謂藏府之位可占候】視喘息聽音聲而知所苦【謂聽聲之宮商角徵羽也視喘息謂候呼吸之長短也】觀權

衡規矩而知病所主權謂秤權衡謂星衡規謂圓形矩謂方象然權也者
所以察中外衡也者所以定高卑規也者所以
表柔虛矩也者所以明強盛脉要精微論曰以
春應中規言陽氣柔軟以夏應中矩言陽氣盛
強以秋應中衡言陰升陽降氣有高下以應冬
中權言陽氣居下也故善診之用必備見焉所
主者謂應四時之氣所主生病之在高下中外
也按尺寸觀浮沈滑濇而知病所生以治浮沈滑濇
皆脉象也浮脉者浮於手下也沈脉者按之乃
得也滑脉者往來易偏濇脉者往來難故審尺寸
觀浮沈而知病之所生以治之也○新校正云
按甲乙經作知病所在以治則無過下無過二
字續此爲句濇音色無過以診則不失矣有過無過皆以診之則所主治
無誤失也故曰病之始起也可刺而已以輕微也其盛可
待衰而已病盛取之毀傷眞氣故其盛者必可待衰故因其輕而揚

之（輕者發揚則邪去）因其重而減之（重者即減去之）因其衰而彰之（因病氣衰攻令邪去則真氣堅固血色彰明）形不足者溫之以氣精不足者補之以味（氣謂衛氣味謂五藏之味也靈樞經曰衛氣者所以溫分肉而充皮膚肥腠理而司開闔故衛氣溫則形分足矣上古天真論曰腎者主水受五藏六府之精而藏之故五藏盛乃能寫由此則精不足者補五藏之味也）其高者因而越之（越謂越揚也）其下者引而竭之（引謂泄引也）中滿者寫之於內（內謂腹內）其有邪者漬形以為汗（邪謂風邪之氣風中於表則汗而發之○漬疾賜反）其在皮者汗而發之（在外故汗發泄也）其慓悍者按而收之（慓疾也悍利也氣候疾利則按之以收斂也○慓必遙切悍音汗）其實者散而寫之（陽实則發散陰实則宣寫故下

文云審其陰陽以別柔剛陰曰柔陽曰剛陽病治陰陰病治陽所謂從陰引陽從陽引陰以右治左以左治右者也定其血氣各守其鄉鄉謂本經之氣位血實宜決之決謂決破其血氣虛宜掣引之掣讀為導導引則氣行條暢○新校正云按甲乙經掣作掣

○陰陽離合論篇第六新校正云按全元起本在第三卷

黃帝問曰余聞天為陽地為陰日為陽月為陰大小月三百六十日成一歲人亦應之以四時五行運用於內故人亦應之○新校正云詳天為陽至成一歲與六節藏象篇重今三陰三陽不應陰陽其故何也岐伯對曰陰陽者數之可十推之可百數之可千推之可萬萬之大不

可勝數然其要一也（一謂离合也雖不可勝數然其要妙以离合推步悉可知之）天覆地載萬物方生未出地者命曰陰處名曰陰中之陰（處陰之中故曰陰處形未動出亦是爲陰以陰居陰故曰陰中之陰）則出地者命曰陰中之陽（形動出者是則爲陽以陽居陰故曰陰中之陽）陽予之正陰爲之主（陽施正氣万物方生陰爲主持羣形乃立予音与）故生因春長因夏收因秋藏因冬失常則天地四塞（春夏爲陽故生長也秋冬爲陰故收藏也若失其常道則春不生夏不長秋不收冬不藏夫如是則四時之氣閉塞陰陽之氣无所運行矣）陰陽之變其在人者亦數之可數（天地陰陽雖不可勝數在人形之用者則數可知之）帝曰願聞三陰三陽之離合也岐伯曰聖人南面而立

前曰廣明後曰大衝廣大也南方丙丁火位主之陽氣盛明故曰大明也嚮明治物故聖人南面而立易曰相見乎离蓋謂此也然在人身中則心藏在南故謂前曰廣明衝脉在北故謂後曰大衝然大衝者腎脉与衝脉合而盛大故曰大衝是以下文云大衝之地名曰少陰此正明兩脉相合而爲表裏也少陰之上名曰太陽腎藏爲陰膀胱府爲陽陰氣在下陽氣在上此爲一合之經氣也靈樞經曰足少陰之脉者腎脉也起於小指之下斜趣足心又曰足大陽之脉者膀胱脉也循京骨至小指外側由此故少陰之上名太陽也是以下文曰太陽根起於至陰結於命門名曰陰中之陽至陰穴名在足小指外側命門者藏精光照之所則兩目也太陽之脉起於目而下至於足故根於指端結於目也靈樞經曰命門者目也此与靈樞義合以太陽居少陰之地故曰陰中之陽○新校正云按素問太陽言根結餘經不言結甲

乙具今中身而上名曰廣明廣明之下名曰太陰靈樞經曰天為陽地為陰腰以上為天腰以下為地分身之旨則中身之上屬於廣明廣明之下屬太陰也以心廣明藏下則太陰脾藏也太陰之前名曰陽明人身之中胃為陽明脉行在脾脉之前脾為太陰脉行於胃脉之後靈樞經曰足太陰之脉者脾脉也起於大指之端循指内側白肉際過核骨後上内踝前廉上腨内循䯒骨之後足陽明之脉者胃脉也下膝三寸而別以下入中指外間由此故太陰之前名陽明也是以下文曰腨市兖反陽明根起於厲兊名曰陰中之陽厲兊穴名在足大指次指之端以其陽明居太陰之前故曰陰中之陽厥陰之表名曰少陽人身之中膽少陽脉行肝脉之分外肝厥陰脉行膽脉之位内靈樞經曰足厥陰脉者肝脉也起於足大指聚毛之際上循足跗上廉足少陽之脉者膽脉也循足跗上出小指次指之端由此則

厥陰之表名少陽也故下文曰迺甫無切少陽根起於竅陰名曰陰中之少陽竅陰穴名在足小指次指之端以少陽居厥陰之表故曰陰中之少陽是故三陽之離合也太陽為開陽明為闔少陽為樞離謂別離應用合謂配合於陰別離則正位於三陽配合則表裏而為藏府矣開闔樞者言三陽之氣多少不等動用殊也夫開者所以司動靜之基闔者所以執禁固之權樞者所以主動轉之微由斯殊氣之用故此三變之也。新校正云按九墟太陽為關陽明為闔少陽為樞故關折則肉節潰緩而暴病起矣故候暴病者取之太陽闔折則氣無所止息悸病起故悸者皆取之陽明樞折則骨搖而不能安於地故骨搖者取之少陽甲乙經同三經者不得相失也搏而勿浮命曰一陽三經之至搏擊於手而無輕重之異則正可謂一陽之氣無復有三陽差降之為用也搏音轉帝曰願聞三陰岐伯曰外者爲陽内者爲陰言三陽爲外運之離合三陰爲内用之離合也然則中爲陰其衝在下名曰太陰衝脉在脾之下故言其衝在下也靈樞經曰衝脉者與足少陰之絡皆起於腎下上行者過於胞中由此則其衝之上太陰位也太陰根起於隱白名曰陰中之陰隱白穴名在足大指端以太陰居陰故曰陰中之陰太陰之後名曰少陰藏位及經脉之次也太陰脾也少陰腎也脾藏之下近後則腎之位也靈樞經曰足太陰之脉起於大指之端循指内之側及上内踝前廉上腨内循胻骨後足少陰之脉起於小指下斜趨足心出於然骨之下循内踝後以上腨内由此則太陰之後名少陰也胻音行少陰根起於涌泉名曰陰中之少陰涌泉穴名在足心下踡指宛宛中踡音權少陰之前名曰厥陰亦藏位及經脉之次也少陰腎也厥陰肝

也。腎藏之前近上則肝之位也。靈樞經曰：足少陰脉循內踝之後，上踹內廉。足厥陰脉循足跗上廉，去內踝一寸，上踝八寸，交出太陰之後，上膕內。由此故少陰之前名厥陰也。厥陰根起於大敦，陰之絶陽，名曰陰之絶陰。大敦，穴名，在足大指之端，三毛之中也。兩陰相合，故曰陰之絶陽。厥，盡也。陰氣至此而盡，故名曰陰之絶陰。是故三陰之離合也，太陰為開，厥陰為闔，少陰為樞。亦氣之不等也。新校正云：按九墟云：關折則倉廩無所輸，膈洞者取之太陰；闔折則氣施而善悲，悲者取之厥陰；樞折則脉有所結而不通，不通者取之少陰。甲乙經同。三經者，不得相失也，搏而勿沈，名曰一陰。沈言殊見也。陽浮亦然。若經氣應至無沈浮之異，則悉可謂之一陰之氣，非復有二陰差降之殊用也。陰陽衝衝，積傳為一周，氣裏形表而為相成也。衝衝言氣之往來積謂積脉之動也傳謂陰陽之氣流傳也夫脉氣往來動而不止積其所動氣血循環應水下二刻而一周於身故曰積傳爲一周也然榮衛之氣因息遊布周流形表相捍虛邪中外主司互相成立故言氣裏形表而爲相成也○新校正云按别本躄躄作衡衡

○陰陽别論篇第七

新校正云按全元起本在第四卷

黄帝問曰人有四經十二從何謂經謂經脉從謂順從岐伯對曰經應四時十二從應十二月十二月應十二脉春脉弦夏脉洪秋脉浮冬脉沉謂四時之經脉也從謂天氣順行十二辰之分故應十二月也十二月謂春建寅卯辰夏建巳午未秋建申酉戌冬建亥子丑之月也十二脉謂手三陰三陽足三陰三陽之脉也以氣數相應故參合之脉有陰陽知陽者知陰知陰者知陽深知則備識其變易凡陽有五五五

二十五陽五陽謂五藏之陽氣也五藏應時各形一脉一脉之內包總五藏之陽五五相乘故二十五陽也○新校正云按玉機真藏論云故病有五變五五二十五變義與此通所謂陰者真藏也見則爲敗敗必死也五藏爲陰故曰陰者真藏也然見者謂肝脉至中外急如循刀刃責責然如按琴瑟絃心脉至堅而搏如循薏苡子累累然肺脉至大而虚如以毛羽中人膚腎脉至搏而絕如以指彈石辟辟然脾脉至弱而乍數乍踈夫如是脉見者皆爲藏敗神去故必死也○累力追反所謂陽者胃脘之陽也胃脘之陽謂人迎之氣也察其氣脉動靜小大與脉口應否也胃爲水穀之海故候其氣而知病處人迎在結喉兩傍脉動應手其脉之動常左小而右大左小常以候藏右大常以候府一云胃胞之陽非也〔脘〕音管別於陽者知病處也別於陰者知死生之期陽者衛外而爲固然外邪所中別於陽則知病處陰

若藏仲而内守其老具正成敗別於陰則知病若死生之期。新校正云按玉機真藏論云別於陽者知病從來別於陰者知死生之期三陽在頭三陰在手所謂一也頭謂人迎手謂氣口兩者相應俱往俱來若引繩小大齊等者名曰平人故言所謂一也氣口在手魚際之後一寸人迎在結喉兩傍一寸五分皆可以候藏府之氣別於陽者知病忌時別於陰者知死生之期識氣定期故知病忌審明成敗故知死生之期謹熟陰陽無與衆謀謹量氣候精熟陰陽病忌之準可知生死之疑自決正行無惑何用衆謀議也所謂陰陽者去者爲陰至者爲陽靜者爲陰動者爲陽遲者爲陰數者爲陽言脉動之中也凡持真脉之藏脉者肝至懸絕急十八日死心至懸絕九日死肺至懸絕十二日死腎至懸絕七日死脾至懸絕四日死眞臟之藏脉者謂眞藏之脉也十八日者金木成數之餘也九日者水火生成數之餘也十一日者金火生成數之餘也七日者水土生數之餘也四日者木生數之餘也故平人氣象論曰肝見庚辛死心見壬癸死肺見丙丁死腎見戊己死脾見甲乙死死者以此知是者皆至所期不勝而死也何者以不勝剋賊之氣也曰二陽之病發心脾有不得隱曲女子不月二陽謂陽明大腸及胃之脉也隱曲謂隱蔽委曲之事也夫腸胃發病心脾受之心受之則血不流脾受之則味不化血不流故女子不月味不化則男子少精是以隱蔽委曲之事不能爲也陰陽應象大論曰精不足者補之以味由是則味不化而精氣少也音病論曰胞脉者繫於腎又評熱病論曰月事不來者胞脉閉胞脉者屬於心而絡於胞中今氣上迫肺心氣不得下通故月事不來則其義也又上古天眞論曰女子二七天癸至任脉

通大衝脉盛月事以時下丈夫二八天癸至精氣溢寫由此則在女子爲不月在男子爲少精

其傳爲風消其傳爲息賁者死不治言其深久者也胃病深久傳入於脾故爲風熱以消削大腸病甚傳入於肺爲喘息而上賁然腸胃脾肺兼及於心三藏二府互相尅薄故死不治賁音奔

曰三陽爲病發寒熱下爲癰腫及爲痿厥腨痟三陽謂大腸小腸及膀胱之脉也小腸之脉起於手循臂繞肩膊上頭膀胱之脉從頭別下背貫臀入膕中循腨故在上爲病則發寒熱在下爲病則爲癰腫腨痟及爲痿厥痟痠疼也痿無力也厥足冷即氣逆也腨時兖切痟息兖切膕古或切

其傳爲索澤其傳爲頹疝熱甚則精血枯涸故皮膚潤澤之氣皆散盡也然陽氣下墜陰脉上爭上爭則寒多下墜則筋緩故睾垂縱緩內作頹疝睾音皐

曰一陽發病少氣善欬善泄一陽謂少陽膽及三焦之脉也膽氣

秉胃故善泄三焦內病故少氣陽上熏肺故善欬何故心火內應而然其傳爲心
掣其傳爲膈膈氣秉心心熱故陽氣內掣三焦內結中熱故膈塞不便掣尺制切
曳也二陽一陰發病主驚駭背痛善噫善欠名曰
風厥一陰謂厥陰心主及肝之脉也心主之脉起於胷中出屬心經云心病膺背肩胛間
痛又在氣爲噫故背痛善噫心氣不足則腎氣乘之肝主驚駭故驚駭善欠夫肝氣爲風腎氣
陵逆既風又厥故名風厥二陰一陽發病善脹心滿善氣二陰
謂少陰心腎之脉也腎膽同逆三焦不行氣稸於上故心滿下虛上盛故氣泄出也三陽
三陰發病爲偏枯痿易四支不舉三陰不足則發偏枯三陽
有餘則爲痿易易謂變易常用而痿弱无力也鼓一陽曰鉤鼓一陰曰
毛鼓陽勝急曰弦鼓陽至而絕曰石陰陽相過

曰溜言何以知陰陽之病脉邪一陽鼓動脉見鈎也何以然一陽謂三焦心脉之府然一陽鼓動者則鈎脉當之鈎脉則心脉也此言正見者也一陰厥陰肝木氣也毛則肺金脉也金來鼓木其脉則毛金氣內乘木陽尚勝急而內見脉則爲弦也若陽氣至而急脉名曰弦屬肝陽氣至而或如淅絕脉名曰石屬腎陰陽之氣相過无能勝負則脉如水之溜也陰爭於內陽擾於外魄汗未藏四逆而起起則熏肺使人喘鳴若金鼓不已陽氣大勝兩氣相持內爭外擾則流汗不止手足反寒甚則陽氣內燔流汗不藏則熱攻於肺故起則熏肺使人喘鳴也陰之所生和本曰和陰謂五神藏也言五藏之所以能生而全天真和氣者以各得自從其和性而安靜尔苟乖所適則爲他氣所乘百端之病由斯而起奉生之道可不慎哉是故剛與剛陽氣破散陰氣乃消亡剛謂陽也言陽氣內蒸外爲流汗灼而不已則

陽勝又陽故盛不久存而陽氣自散陽已破敗陰不獨存故陽氣破散陰氣亦消亡此乃爭勝招敗矣淖則剛柔不和經氣乃絕血淖者陽常勝視人之血淖者宜謹和其氣常使流通若不能深思寡欲使氣序乘衰陽為重陽內燔藏府則死且可待生其能久乎死陰之屬不過三日而死火乘金也生陽之屬不過四日而死木乘火也。新校正云按別本作四日而生全元起注作四日而已俱通詳上下文義作死者非所謂生陽死陰者肝之心謂之生陽母來親子故曰生陽匪推以木生火亦自陰氣主生尔心之肺謂之死陰陰主刑殺火復乘金金得火亡故云死肺之腎謂之重陰亦母子也以俱為陰氣故曰重陰腎之脾謂之辟陰死不治土氣辟并水乃可升土辟水升故云辟陰結陽者腫四支以四支為諸陽之本故結陰者便血一升（陰主血故）再結二升三結三升（二盛謂之再結三盛謂之三結）陰陽結斜多陰少陽曰石水少腹腫（所謂失法）二陽結謂之消（二陽結謂胃及大腸俱熱結也腸胃藏熱則喜消水穀○新校正云詳此則少二陰結）三陽結謂之隔（三陽結謂小腸膀胱熱結也小腸結熱則血脉燥膀胱熱則津液涸故鬲塞而不便寫）三陰結謂之水（三陰結謂脾肺之脉俱寒結也脾肺寒結則氣化為水）一陰一陽結謂之喉痺（一陰謂心主之脉一陽謂三焦之脉也三焦心主脉並絡喉氣熱內結故為喉痺○痺音閉）陰搏陽別謂之有子（陰謂尺中也搏謂搏觸於手也尺脉搏擊与寸口殊別陽氣挺然則爲有妊之兆何者陰中有別陽故妊去声）陰陽虛腸辟死（辟陰也然胃氣不留腸開勿禁陰中不廪是真氣竭絕故死○新校正云按全元起本辟

作辟陽加於陰謂之汗陽在下陰在上陽氣上搏陰能固之則蒸而為汗陰虛陽搏謂之崩陰脈不足陽脈盛搏則內崩而血流下三陰俱搏二十日夜半死脾肺成數之餘也搏謂伏鼓異於常候也陰氣盛極故夜半死二陰俱搏十三日夕時死心腎之成數也陰氣未極故死在夕時一陰俱搏十日平旦死肝心生成之數也三陽俱搏且鼓三日死陽氣速急故三陰三陽俱搏心腹滿發盡不得隱曲五日死兼陰氣也隱曲謂便寫也二陽俱搏其病溫死不治不過十日死腸胃之生數也○新挍正云詳此闕一陽搏

新刊黃帝内經素問卷第二

新刊黄帝内經素問卷第三

啓玄子次註林億孫奇高保衡等奉敕校正孫兆重改誤

○靈蘭秘典論篇第八

新校正按全元起本名十二藏相使在第三卷

黄帝問曰願聞十二藏之相使貴賤何如藏藏也言腹中之所藏者非復有十二形神之藏也岐伯對曰悉乎哉問也請言遂言之心者君主之官也神明出焉任治於物故爲君主之官清静栖靈故曰神明出焉肺者相傅之官治節出焉位高非君故官爲相傅主行榮衛故治節由之肝者將軍之官謀慮出焉勇而

能斷故曰將軍潛發未萌故謀慮出焉膽者中正之官決斷出焉剛正果決故官為中正直而不疑故決斷出焉膻中者臣使之官喜樂出焉膻中者在胸中兩乳間為氣之海然心主為君以敷宣教令膻中主氣以氣布陰陽氣和志適則喜樂由生分布陰陽故官為臣使也膻徒食切脾胃者倉廩之官五味出焉包容五穀是為倉廩之官營養四傍故云五味出焉廩力稔切大腸者傳道之官變化出焉傳道謂傳不潔之道變化謂變化物之形故云傳道之官變化出焉小腸者受盛之官化物出焉承奉胃司受盛糟粕受已復化傳入大腸故云受盛之官化物出焉腎者作強之官伎巧出焉強於作用故曰作強造化形容故云伎巧在女則當其伎巧在男則正曰作強三焦者決瀆之官水道出焉引導陰陽開通閉塞故官司決瀆水道出焉膀胱者州

都之官津液藏焉氣化則能出矣位當孤府故謂都官居下
內空故藏津液若得氣海之氣施化則溲便注泄氣海之氣不及則閟隱不通故曰氣化則能
出矣靈樞經曰腎上連肺故將兩藏膀胱是孤府則此之謂也溲所鳩切小便也凡此
十二官者不得相失也失則災害至故不得相失○新校正云詳此乃
十一官脾胃二官藏共一官故也故主明則下安以此養生則壽
殁世不殆以爲天下則大昌注謂君主心之官也夫主賢明則刑
賞一刑賞一則吏奉法吏奉法則民不獲罪於枉濫矣故主明則天下安也夫心內明則銓善
惡銓善惡則察安危察安危則身不夭傷於非道矣故以此養生則壽殁世不至於危殆矣然
施之於養生殁世不殆施之於君主天下獲安以其爲天下主則國祚昌盛矣主不明
則十二官危使道閉塞而不通形乃大傷以此

養生則殃，以爲天下者其宗大危，戒之戒之使道謂神氣行使之道也夫心不明則邪正一邪正一則損益不分損益不分則動之凶咎陷身於羸瘠矣故形乃大傷以此養生則殃也夫主不明則委於左右委於左右則權勢妄行權勢妄行則吏不得奉法吏不得奉法則人民失所而皆受枉曲矣且人惟邦本本固邦寧本不獲安国将何有宗廟之立安有不至於傾危乎故曰戒之戒之者言深慎也瘠音精至道在微變化無窮孰知其原孰誰也言至道之用也小之則微妙而細无不入大之則廣遠而變化无窮然其淵源誰所知察窘乎哉消者瞿瞿新校正云按大素作肖者瞿瞿瞿音劬孰知其要閔閔之當孰者爲良窘要也瞿瞿勤勤也人身之要者道也然以消息異同求諸物理而欲以此知變化之原本者雖瞿瞿勤勤以求明悟然其要妙誰得知乎既未得知轉成深遠閔閔玄妙復不知誰者爲善知其要妙哉玄妙深遠固不以理求而可得近取諸身則十二官粗可探尋而爲治身之道尓閔閔深遠也良善也○新校正云詳此四句与氣交變大論文重意同彼消字作肖字

恍惚之數生於毫氂恍惚者謂似有似无也忽亦數也似无似有而毫厘之數生其中老子曰恍恍惚惚其中有物此之謂也筭書曰似有似无爲忽毫氂之數起於度量千之萬之可以益大推之大之其形乃制毫氂雖小積而不已命數乘之則起至於尺度斗量之繩準千之万之亦可增益而至載之大數推引其大則應通人形之制度也黃帝曰善哉余聞精光之道大聖之業而宣明大道非齋戒擇吉日不敢受也深敬故也韓康伯曰洗心曰齋防患曰戒黃帝乃擇吉日良兆而藏靈蘭之室以傳保焉秘之至也

〇六節藏象論篇第九新校正云按全元起注本在第三卷

黃帝問曰：余聞天以六六之節以成一歲，人以九九制會新校正云詳下文云地以九九制會，計人亦有三百六十五節以爲天地久矣，不知其所謂也六六之節謂六竟於六甲之日以成一歲之節限九九制會謂九周於九野之數以制人形之會通也言人之三百六十五節以應天之六六之節久矣若復以九九爲紀法則兩歲大半乃曰一周不知其法眞原安謂也〇新校正云詳王注云兩歲大半乃曰一周按九九制會當云兩歲四分歲之一乃曰一周也。岐伯對曰：昭乎哉問也！請遂言之。夫六六之節、九九制會者，所以正天之度、氣之數也六六之節天之度也九九制會氣之數也所謂氣數者生成之氣也周天之分凡三百六十五度四分度之一，以十二節氣均之，則歲有三百六十日而終，兼之小月日又不足其數矣，是以六十四氣而常置閏焉。何者？以其積差分故也。天地之生育，本肚於陰陽；人神之運爲，始終於九氣。然九之爲用，豈不大哉！律書曰：黃鍾之律管長九寸，冬至之日氣應灰飛，由此則万物之生咸因於九氣矣。古之九寸，即今之七寸三分，大小不同，以其先秬黍之制而有異也。○新校正云：按别本三分一作二分。天度者，所以制日月之行也；氣數者，所以紀化生之用也。制謂準度，紀謂綱紀。準日月之行度者，所以明日月之行遲速也；紀化生爲用者，所以彰氣至而斯應也。氣應無差，則生成之理不替；遲速以度，而大小之月生焉。故日異長短，月移寒暑，收藏生長，無失時宜也。天爲陽，地爲陰；日爲陽，月爲陰。行有分紀，周有道理，日行一度，月行十三度而有奇焉，故大小月三百

六十五日而成歲積氣餘而盈閏矣日行遲故晝夜行天
之一度而三百六十五日一周天而猶有度之
奇分矣月行速故晝夜行天之十三度餘而二
十九日一周天也言有奇者謂十三度外復行
十九分度之七故云月行十三度而有奇也禮
義及漢律曆志云二十八宿及諸星皆從東而
循天西行日月及五星皆從西而循天東行今
大史說云並循天而東行從東而西轉也諸曆
家說月一日至四日月行最疾日夜行十四度
餘自五日至八日行次疾日夜行十三度餘自
九日至十九日其行遲日夜行十二度餘二十
日至二十三日行又小疾日夜行十三度餘二
十四日至晦日行又大疾日夜行十四度餘今
太史說月行之率不如此矣月行有十五日前
疾有十五日後遲者有十五日前遲有十五日
後疾者大率一月四分之而皆有遲疾遲速之
度周无常準矣雖尓終以二十七日月行一周
天凡行三百六十一度二十九日日行二十九
度月行三百八十七度少七度而不及日也至

三十日日後延計率至十三分日之八月方及日矣此大盡之月也大率其計率至十二分日之半者亦大盡法也其計率至十三分日之五之六而及日者小盡之月也故云大小月三百六十五日而成歲也正言之者三百六十五日四分日之一乃一歲法以奇不成故舉六以言之若通以六小為法則歲止有三百五十四日歲少十一日餘矣取月所少之辰加歲外餘之日故從閏後三十二日而盈閏焉尚書曰朞三百有六旬有六日以閏月定四時成歲則其義也積餘盈閏者盡以月之大小不盡天度故也

立端於始，表正於中，

推餘於終，而天度畢矣。端首也始初也表彰示也正斗建也中月半也推退位也言立首氣於初節之日示斗建於月半之辰退餘閏於相望之後是以閏之前則氣不及月閏之後則月不及氣故常月之制建初立中閏月之紀無初無中縱曆有之皆他節氣也故曆無云其候閏某月節閏某月中也推之義斷可知乎故曰立端於始表正於中推餘

(於終也由斯推日成閏故能令天度畢焉)帝曰余已聞天度矣願聞氣數何以合之岐伯曰天以六六爲節地以九九制會(新校正云詳篇首云人以九九制會)天有十日日六竟而周甲甲六復而終歲三百六十日法也(十日謂甲乙丙丁戊己庚辛壬癸之日也十者天地之至數也易繫辭曰天九地十則其義也六十日而周甲子之數甲子六周而復始則終一歲之日是三百六十日之歲法非天度之數也此蓋十二月各三十日者若除小月其日又差也)夫自古通天者生之本本於陰陽其氣九州九竅皆通乎天氣(通天謂元氣即天真也然形假地生命惟天賦故奉生之氣通繫於天稟於陰陽而爲根本也寶命全形論曰人生於地懸命於天天地合氣命之曰人四氣調神大論曰陰陽四時者万物之終始也死生之本也又

曰逆其根則伐其本壞其真矣此其義也九州謂兾兗青徐楊荆豫梁雍也然地列九州人施九竅精神往復氣与參同故曰九州九竅也靈樞經曰地有九州人有九竅則其義也先言其氣者謂天真之氣常繫屬於中也天氣不絶真靈內屬行藏動静悉与天通故曰皆通乎天氣也

故其生五其氣三形之所存假五行而運用徵其本始從三氣以生成故云其生五其氣三也氣之三者亦副三元故下文曰○新校正云詳夫自古通天者至此与生氣通天論同注頗異當兩觀之

三而成天三而成地三而成人非推人獨由三氣以生天地之道亦如是矣故易乾坤諸卦皆必三之矣

三而三之合則爲九九分爲九野九野爲九藏九野者應九藏而爲義也尔雅曰邑外爲郊郊外爲甸甸外爲牧牧外爲林林外爲坰坰外爲野則此之謂也○新校正云按今尔雅云邑外謂之郊郊外謂之牧牧外謂之野野外謂之林林外謂之坰与

王氏所引有異故形藏四神藏五合爲九藏以應之也形藏四者一頭角二耳目三口齒四胸中也形分於外故以名焉神藏五者一肝二心三脾四肺五腎也神藏於内故以名焉所謂神藏者肝藏魂心藏神脾藏意肺藏魄腎藏志也故此二別爾○新校正云詳此乃宣明五氣篇文与生氣通天注重又与三部九候論注重所以名神藏形藏之說具三部九候論注帝曰余已聞六六九九之會也夫子言積氣盈閏願聞何謂氣請夫子發蒙解惑焉請宣揚旨要啓所未聞解疑惑者之心開蒙昧者之耳令其曉達咸使深明岐伯曰此上帝所祕先師傳之也上帝謂上古帝君也先師岐伯祖之師僦貸季上古之理色脉者也移精變氣論曰上古使僦貸季理色脉而通神明八素經序云天師對黄帝曰我於僦貸季理色脉已三世矣言可知乎○新校正云詳素一作索或以

（八爲大挍今太素作此文識郎說切）帝曰請遂聞之（遂盡也）岐伯曰五日謂之候三候謂之氣六氣謂之時四時謂之歲而各從其主治焉（日行天之五度則五日也三候正十五日也六氣凡九十日正三月也設其多之矣故十八候爲六氣六氣謂之時也四時凡三百六十日故曰四時謂之歲也各從主治謂一歲之日各歸從五行之一氣而爲之主以王也故下文曰）五運相襲而皆治之終朞之日周而復始時立氣布如環無端候亦同法故曰不知年之所加氣之盛衰虛實之所起不可以爲工矣（五運謂五行之氣應天之運而主化者也襲謂承襲如嫡之承襲也言五行之氣父子相承主統一周之日常如是無已周而復始也時謂立春之前當至時也氣謂當王之脉氣也春前氣至脉氣亦至故

旬時立氣布也候謂日行五度之候也言一候之日亦五氣相生而直之差則病矣移精變氣論曰上古使僦貸季理色脉而通神明合之金木水火土四時八風六合不離其常此之謂也工謂工於修養者也言必明於此乃可橫行天下矣○新校正云詳王註時立氣布謂立春前當五至時當至之脉氣也按此正謂歲立四時時布六氣如環之無端故又曰候亦同法 帝曰五運之始如環無端其大過不及何如岐伯曰五氣更立各有所勝盛虛之變此其常也言盛衰之變見此乃天之常道爾 帝曰平氣何如岐伯曰無過者也不愆常候則無過也 帝曰大過不及奈何岐伯曰在經有也言玉機真藏論篇具言五氣平和大過不及之旨也○新校正云詳王注言玉機真藏論已具按本篇言脉之大過不及即不論運氣之大過不及與平氣當云氣交變大論五常

政大論篇已具言也帝曰何謂所勝岐伯曰春勝長夏長夏勝冬冬勝夏夏勝秋秋勝春所謂得五行時之勝各以氣命其藏春應木木勝土長夏應土土勝水冬應水水勝火夏應火火勝金秋應金金勝木常如是矣四時之中加之長夏故謂得五行時之勝也所謂長夏者六月也土生於火長在夏中既長而王故云長夏也以氣命藏者春之木內合肝長夏土內合脾冬之水內合腎夏之火內合心秋之金內合肺故曰各以氣命其藏也命名也帝曰何以知其勝岐伯曰求其至也皆歸始春始春謂立春之日也春為四時之長故候氣皆歸於立春前之日也未至而至此謂太過則薄所不勝而乘所勝也命曰氣淫不分邪僻內生工不能禁此上十字文義不倫應古文錯簡次後五治下乃其義也

今朱書之至而不至此謂不及則所勝妄行而所生受病所不勝薄之也命曰氣迫所謂求其至者氣至之時也

凡氣之至皆謂立春前十五日乃候之初也未至而至謂所直之氣未應至而先期至也先期而至是氣有餘故曰太過至而不至謂所直之氣應至不至而後期至後期而至是氣不足故曰不及太過則薄所不勝而乘所勝不及則所勝妄行而所生受病所不勝薄之者凡五行之氣我剋者爲所勝剋我者爲所不勝生我者爲所生假令肝木有餘是肺金不足金不制木故木太過木氣既餘則反薄肺金而乘於脾土矣故曰太過則薄所不勝而乘所勝也此皆五藏之氣內相淫併爲疾故命曰氣淫也餘太過例同之文如肝木氣少不能制土土氣無畏而遂妄行水被土凌故云所勝妄行而所生受病也肝木之氣不平肺金之氣自薄故曰所不勝薄之然木氣不平土金交薄相迫爲疾故曰氣迫也餘不及例皆同

謹候其時氣可與期失時反候五治不分邪僻内生工不能禁也時謂氣至時也候其年則始於立春之日候其氣則始於四氣定期候其日則隨於候日故曰謹候其時氣可與期也反謂反背也五治謂五行所治主統一歲之氣也然不分五治謬引八邪天真氣運尚未該通人病之由安能精達故曰工不能禁也帝曰有不襲乎言五行之氣有不相承襲者乎岐伯曰蒼天之氣不得無常也氣之不襲是謂非常非常則變矣變謂變易天常也帝曰非常而變柰何岐伯曰變至則病所勝則微所不勝則甚因而重感於邪則死矣故非其時則微當其時則甚也言蒼天布氣尚不越於五行人在氣中豈不應於天道夫人之氣亂不順天常故有病死之徵矣左傳曰違天

不祥此其類也假令木直之年有火氣至後二歲病矣土氣至後三歲病矣金氣至後四歲病矣水氣至後五歲病矣真氣不足復重感邪真氣內微故重感於邪則死也假令非主直年而氣相干者且為微病不必內傷於神藏故非其時則微而且持也若當所直之歲則易中邪氣故當其直時則病疾甚也諸氣當其王者皆必受邪故一云非其時則微當其時則甚也通評虛寶論曰非其時則生當其時則死當謂正直之年也帝曰善余聞氣合而有形因變以正名天地之運陰陽之化其於萬物孰少孰多可得聞乎新校正云詳從前岐伯曰昭乎哉問也至此全元起許本及大素並無疑王氏之所補也岐伯曰悉乎哉問也天至廣不可度地至大不可量大神靈問請陳其方言天地廣大不可度量而得之造化玄微豈可以人心而遍悉大神靈問讚聖深明舉大說況

相言綱紀故曰請陳其方草生五色五色之變不可勝視草生五味五味之美不可勝極言物生之眾稟化各殊目視口味尚無能盡之况於人心乃能包括耶嗜欲不同各有所通言色味之眾雖不可遍盡所由然人所嗜所欲則自隨己心之所愛耳故曰嗜欲不同各有所通天食人以五氣地食人以五味天以五氣食人者臊氣湊肝焦氣湊心香氣湊脾腥氣湊肺腐氣湊腎也地以五味食人者酸味入肝苦味入心甘味入脾辛味入肺鹹味入腎也清陽化氣而上為天濁陰成味而下為地故天食人以氣地食人以味也陰陽應象大論曰清陽為天濁陰為地又曰陽為氣陰為味五氣入鼻藏於心肺上使五色脩明音聲能彰五味入口藏於腸胃味有所藏以養五氣氣和而生津液相成神乃

自生心榮面色肺主音聲故氣藏於心肺上使五色脩絜分明音聲彰著氣爲水母故味藏於腸胃內養五氣五氣和化津液方生津液與氣相副化成神氣乃能生而宣化也帝曰藏象何如象謂所見於外可閲者也岐伯曰心者生之本神之變也其華在面其充在血脉爲陽中之大陽通於夏氣心者君主之官神明出焉然君主者万物繫之以興亡故曰心者生之本神之變也火氣炎上故華在面也心養血其主脉故充在血脉也心王於夏氣合太陽以太陽居夏火之中故曰陽中之太陽通於夏氣也金匱眞言論曰平旦至日中天之陽陽中之陽也○新校正云詳神之變全元起本并太素作神之處肺者氣之本魄之處也其華在毛其充在皮爲陽中之太陰通於秋氣肺藏氣其神魄其養皮毛故曰肺者氣之本魄之處華在毛充在皮也肺藏爲太陰

之氣上王於秋晝日為陽氣所行位非陰處以太陰居於陽分故曰陽中之太陰通於秋氣也金匱真言論曰日中至黃昏天之陽陽中之陰也○新校正云按太陰甲乙經并太素作少陰當作少陰肺在十二經雖為太陰然在陽分之中當為少陰也腎者主蟄封藏之本精之處也其華在髮其充在骨為陰中之少陰通於冬氣地戶封閉蟄蟲深藏腎又主水受五藏六府之精而藏之故曰腎者主蟄封藏之本精之處也腦者髓之海腎主骨髓髮者腦之所養故華在髮充在骨也以盛陰居冬陰之分故曰陰中之少陰通於冬氣也金匱真言論曰合夜至雞鳴天之陰陰中之陰也○新校正云按全元起本并甲乙經太素少陰作太陰當作太陰腎在十二經雖為少陰然在陰分之中當為太陰肝者罷極之本魂之居也其華在爪其充在筋以生血氣其味酸其色蒼新校正云詳此

六字當去按太素心其味苦其色赤肺其味辛其色白腎其味鹹其色黑今脾肝二藏載其味其色陰陽應象大論已著色味詳矣此不當出之今更不添心肺腎三藏之色味只去肝脾二藏之色味可矣其注中所引陰陽應象大論文四十一字亦當去之罷音疲此爲陽中之少陽通於春氣夫人之運動者皆筋力之所爲也肝主筋其神魂故曰肝者罷極之本魂之居也爪者筋之餘筋者肝之養故華在爪充在筋也東方爲發生之始故以生血氣也陰陽應象大論曰東方生風風生木木生酸酸生肝肝合木故其味酸也又曰神在藏爲肝在色爲蒼故其色蒼也以少陽居於陽位而王於春故曰陽中之少陽通於春氣也金匱真言論曰平旦至日中天之陽陽中之陽也○新校正云按全元起本并甲乙經太素作陰中之少陽當作陰中之少陽詳王氏引金匱真言論云平旦至日中天之陽陽中之陽也以爲證則王意以爲陽中之少陽也再詳上文心藏爲陽中之太陽王氏以引平旦至日中之說爲證

今所藏又引爲證反不引雞鳴至平旦天之陰陰中之陽爲證則王注之失可見當從全元起本及甲乙經大素作陰中之少陽爲得

脾胃大腸小腸三焦膀胱者倉廩之本營之居也名曰器能化糟粕轉味而入出者也皆可受盛轉運不息故爲倉廩之本名曰器也營起於中焦中焦爲脾胃之位故云營之居也然水穀滋味入於脾胃腑胃糟粕轉化其味出於三焦膀胱故曰轉味而入出者也

其華在脣四白其充在肌其味甘其色黃新校正云詳此六字當去并註中引陰陽應象大論文四十字亦當去已解在前篇

此至陰之類通於土氣口爲脾官脾主肌肉故曰華在脣四白充在肌也四白謂脣四際之白色肉也陰陽應象大論曰中央生濕濕生土土生甘甘生脾脾合土故其味甘也又曰在藏爲脾在色爲黃故其色黃也脾藏土氣上合至陰故曰此至陰之類通於土氣也金匱

真言論曰陰中之至陰脾也凡十一藏取決於膽也上從心藏下至於膽為十一也然膽者中正剛斷無私偏故十一藏取決於膽也故人迎一盛病在少陽二盛病在太陽三盛病在陽明四盛已上為格陽陽脉法也少陽膽脉也太陽膀胱脉也陽明胃脉也靈樞經曰一盛而躁在手少陽二盛而躁在手太陽三盛而躁在手陽明手少陽三焦脉手太陽小腸脉手陽明大腸脉一盛者謂人迎之脉大於寸口一倍也餘盛同法四倍已上陽盛之極故格拒而食不得入也正理論曰格則吐逆寸口一盛病在厥陰二盛病在少陰三盛病在太陰四盛已上為關陰陰脉法也厥陰肝脉也少陰腎脉也太陰脾脉也靈樞經曰一盛而躁在手厥陰二盛而躁在手少陰三盛而躁在手太陰手厥陰心包脉也手少陰心脉也手太陰肺脉也盛法同陽四倍已上陰盛之極

故關閉而澀不得通也。正理論曰：閉則不得溺，澀小便也。人迎與寸口俱盛四倍已上爲關格，關格之脉羸，不能極於天地之精氣則死矣。俱盛謂俱大於平常之脉四倍也。物不可以久盛，極則衰敗，故不能極於天地之精氣則死矣。靈樞經曰：陰陽俱盛不得相營，故曰關格。關格者，不得盡期而死矣。此之謂也。○新校正云：詳羸當作盈。脉盛四倍已上非羸也，乃盛極也。古文羸與盈通用。

○五藏生成篇第十 新校正云：詳全元起本在第九卷。按此篇云五藏生成篇而不云論者，蓋此篇直記五藏生成之事，而無問荅論議之辭，故不云論。後不言論者，義皆倣此。

心之合脉也，火氣動躁，脉類齊同，心藏應火，故合脉也。其榮色也，火炎上而色赤，故榮美於面而赤色。○新校正云：詳王以赤色爲面榮美未通，大抵發見於面之色皆心之榮也豈專爲赤哉其主腎也主謂主與腎相畏也火畏於水水與爲官故畏於腎肺之合皮也金氣堅定皮象亦然肺藏應金故合皮也其榮毛也毛附皮革故外榮其主心也金畏於火火與爲官故主畏於心也肝之合筋也木性曲直筋躰亦然肝藏應木故合筋也其榮爪也爪者筋之餘故外榮也其主肺也木畏於金金與爲官故主畏於肺也脾之合肉也土性柔厚肉躰亦然脾藏應土故合肉也其榮脣也口爲脾之官故榮於脣脣謂四際白色之處非赤色也其主肝也土畏於木木與爲官故主畏於肝也腎之合骨也水性流濕精氣亦然骨通精髓故合骨也其榮髮也腦爲髓海腎氣主之故外榮髮也其主脾也水畏於土土與爲官故主畏於脾也是故多食鹹則脈凝泣而變色心合脈其榮色鹹益腎勝於心心不勝故脈凝泣而

顏色變易也多食苦則皮槁而毛拔肺合皮其榮毛苦益心勝於肺
肺不勝故皮枯槁而毛拔去也多食辛則筋急而爪枯肝合筋其榮爪
辛益肺肺勝於肝肝不勝故筋急而爪乾枯也多食酸則肉胝䐢而脣
揭脾合肉其榮脣酸益肝肝勝於脾脾不勝故肉胝䐢而脣皮揭舉也胝丁尼切䐢側救切
多食甘則骨痛而髮落腎合骨其榮髮甘益脾脾勝於腎腎不勝故骨痛
而髮墮落此五味之所傷也五味入口輸於腸胃而內養五藏各有所養有
所欲欲則互有所傷故下文曰故心欲苦合火故也肺欲辛合金故也肝
欲酸合木故也脾欲甘合土故也腎欲鹹合水故也此五味之
所合也各隨其欲而歸湊之五藏之氣新校正云按全元起本云此五味之
合五藏之氣也連上文太素同故色見青如草茲者死茲滋也言如草

初生之青色也黃如枳實者死色青黃也黑如炲者死炲謂炲煤也炲音台赤如衃血者死衃血謂敗惡凝聚之血色赤黑也衃芳杯切白如枯骨者死白而枯槁如乾骨之白也此五色之見死也藏敗故見死色也三部九候論曰五藏已敗其色必夭夭必死矣此之謂也青如翠羽者生赤如雞冠者生黃如蟹腹者生白如豕膏者生黑如烏羽者生此五色之見生也皆謂光潤也色雖可愛若見朦朧尤善矣故下文曰生於心如以縞裹朱生於肺如以縞裹紅生於肝如以縞裹紺生於脾如以縞裹栝樓實生於腎如以縞裹紫是乃真見生色也縞白色紺薄青色此五藏所生之外榮也榮美色也色味當五藏

白當肺辛赤當心苦青當肝酸黃當脾甘黑當腎鹹各當其所應而爲色味也故白當皮赤當脈青當筋黃當肉黑當骨各歸其所養之藏氣也諸脈者皆屬於目脈者血之府宣明五氣篇曰久視傷血由此明諸脈皆屬於目也○新校正云按皇甫士安云九卷曰心藏脈脈舍神神明通體故云屬目諸髓者皆屬於腦腦爲髓海故諸髓屬之諸筋者皆屬於節筋氣之堅結者皆絡於骨節之間也宣明五氣篇曰久行傷筋由此明諸筋皆屬於節也諸血者皆屬於心血居脈內屬於心也八正神明論曰血氣者人之神然神者心之主由此故諸血皆屬於心也諸氣者皆屬於肺肺藏主氣故也此四支八谿之朝夕也谿者肉之小會名也八谿謂肘膝腕也如是氣血筋脈互有盛衰故爲朝夕矣故人卧血歸

於肝肝藏血心行之人動則血運於諸經人靜則血歸於肝藏何者肝主血海故也肝受血而能視言其用也目爲肝之官故肝受血而能視足受血而能步氣行乃血流故足受血而能行步也掌受血而能握以當把握之用指受血而能攝以當攝受之用也血氣者人之神故所以受血者皆能運用臥出而風吹之血凝於膚者爲痹謂瘰痹也瘰音頑又音君凝於脈者爲泣泣謂血行不利凝於足者爲厥厥謂足逆冷也此三者血行而不得反其空故爲痹厥也空者血流之道大經隧也隧音遂人有大谷十二分大經所會謂之大谷也十二分者謂十二經脈之部分小谿三百五十四名少十二俞小絡所會謂之小谿也然以三百六十五小絡言之者除十二俞外則當三百五十三名經言三百五十

四者傳寫行書誤以三爲匹也○新校
正云按別本及全元起本太素俞作關此皆衛
氣之所留止邪氣之所客也衛氣滿填以行邪
氣不得居止衛氣
虧缺留止則爲邪氣
所客故言邪氣所客鍼石緣而去之緣謂夤緣
行去之貌
言邪氣所客衛氣留止鍼其谿
谷則邪氣夤緣隨脉而行去也診病之始五決
爲紀五決謂以五藏之脉
爲決生死之綱紀也欲知其始先建其母
建立也母謂應時之王氣也先立
應時王氣而後乃求邪正之氣也所謂五決者
五脉也謂五藏
脉也是以頭痛巔疾下虛上實過在
足少陰巨陽甚則入腎足少陰腎脉巨陽膀胱
脉膀胱之脉者起於目
内眥上額交巔上其支別者從巔至耳上角其
直行者從巔入絡腦還出別下項循肩髆内俠
脊抵腰中入循膂絡腎屬膀胱然腎虛而不能
引巨陽之氣故頭痛而爲上巔之疾也經病其

巳則入於藏矣。徇蒙招尤，目冥耳聾，下實上虛，過在足少陽、厥陰，甚則入肝。徇，疾也。蒙，不明也。言目暴疾而不明。招，謂掉也，搖掉不定也。尤，甚也。目疾不明，首掉尤甚，謂暴病也。

目冥耳聾，謂漸病也。足少陽，膽脉；厥陰，肝脉也。

厥陰之脉，從少腹上俠胃，屬肝，絡膽，貫鬲，布脅

肋，循喉嚨之後，入頏顙，上出額，與督脉會於巔。

其支別者，從目系下頰裏。足少陽之脉，起於目

銳眥，上抵頭角，下耳後，循頸入缺盆。其支別者，

從耳後入耳中。又支別者，別目銳眥，下顴，加頰

車，下頸合缺盆，以下胸中，貫鬲，絡肝，屬膽。今氣

不足，故為是病。○新校正云：按王註徇蒙，言目

暴疾而不明，義未甚顯。徇蒙者，蓋謂目瞼瞤動，疾數而蒙睹。又少陽之脉下顴，甲乙經作下顴。頏胡郎切。顙蘇朗切。系奚帝切。顴音權。腹

滿䐜脹，支鬲胠脇，下厥上冒，過在足太陰、陽明。

胠，謂脅上也。下厥上冒者，謂氣從下逆上而冒

於目也。足太陰，脾脉；陽明，胃脉也。足太陰脉自

股內前廉入腹屬脾絡胃上鬲足陽明脈起於鼻交於頞下循鼻外下絡頤頷從喉嚨入缺盆屬胃絡脾其直行者從缺盆下乳內廉下俠齊入氣街中其支別者起胃下口循腹裏至氣街中而合以下髀故爲是病胠去魚切髕音賔**欬嗽上氣厥在胷中過在手陽明太陰**手陽明大腸脈太陰肺脈也手陽明脈自肩髃前廉上出於柱骨之會上下入缺盆絡肺下鬲屬大腸手太陰脈起於中焦下絡大腸還循胃口上鬲屬肺從肺系橫出腋下故爲欬嗽上氣厥在胷中也○新校正云按甲乙經厥作病**心煩頭痛病在鬲中過在手巨陽少陰**手巨陽小腸脈少陰心脈也巨陽之脈從肩上入缺盆絡心循咽下鬲抵胃屬小腸其支別者從缺盆循頸上頰至目銳眥手少陰之脈起於心中出屬心系下鬲絡小腸故心煩頭痛病在鬲中也○新校正云按甲乙經云胷中痛支滿腰背相引而痛過在手少陰太陽也**夫脈之小大滑濇浮**

沈可以指別夫脉小者細小大者滿大滑者往來流利濇者往來蹇難浮者浮於手下沈者按之乃得也如是雖衆狀不同然手巧心諦而指可分別也五藏之象可以類推象謂氣象也言五藏雖隱而不見然其氣象性用猶可以物類推之何者肝象木而曲直心象火而炎上脾象土而安靜肺象金而剛決腎象水而潤下夫如是皆大舉宗兆其中隨事變化象法傍通者可以同類而推之爾五藏相音可以意識音謂五音也夫肝音角心音徵脾音宮肺音商腎音羽此其常應也然其互相勝負聲見否藏則耳聰心敏者猶可以意識而知之五色微診可以目察色謂顔色也夫肝色青心色赤脾色黄肺色白腎色黑此其常色也然其氣象交互微見吉凶則目明智遠者可以占視而知之能合脉色可以萬全色青者其脉弦色赤者其脉鈎色黄者其脉代色白者其脉毛色黑者其脉堅此其常色脉也然其參校異同斷言成敗

則審而不惑萬舉萬全色脉之病例如下說赤脉之至也喘而堅診喘謂脉至如卒喘狀
曰有積氣在中時害於食名曰心痺也藏居高病則脉爲喘狀故心肺二藏而獨言之爾喘爲心氣不足堅則病氣有餘心脉起於心胷之中故積氣在中時害於食也積謂病氣積聚痺謂藏氣不宣行也得之外疾
思慮而心虛故邪從之思慮心虛故外邪因之而居止矣白脉
之至也喘而浮上虛下實驚有積氣在胷中喘
而虛名曰肺痺寒熱喘爲不足浮者肺虛肺不足是謂心虛上虛則下當滿實矣以其不足故善驚而氣積胷中矣然脉喘而浮是肺自不足喘而虛者是心氣上乘肺受熱而氣不得營故名肺痺而外爲寒熱也得之醉而使內也酒味苦燥內益於心醉甚入房故心氣上勝於肺矣青脉之至也長而左右彈

有積氣在心下支胠名曰肝痹脉長而彈是緊弦緊緊爲寒氣中濕乃弦肝主胠脇近於心故氣積心下文支胠也正理論脉名例曰緊脉者如切繩狀言左右彈人手也得之寒濕與疝同法腰痛足清頭痛脉緊爲寒脉長爲濕疝之爲病亦寒濕所生故言與疝同法也寒濕在下故腰痛也肝脉者起於足上行至頭出額與督脉會於巔故病則足冷而頭痛也清亦冷也疝所晏切黃脉之至也大而虛有積氣在腹中有厥氣名曰厥疝脉大爲氣脉虛爲虛既氣又虛故脾氣積於腹中也若腎氣逆上則是厥疝腎氣不上則但虛而脾氣積也女子同法得之疾使四支汗出當風女子同法言同其候也風氣通於肝故汗出當風則脾氣積滿於腹中黑脉之至也上堅而大有積氣在小腹與陰名曰腎痹上謂寸口

也腎主下焦故氣積聚於小腹與陰也得之沐浴清水而卧濕氣傷下自歸於腎況沐浴而卧得無病乎靈樞經曰身半以下濕之中也凡相五色之奇脉面黄目青面黄目赤面黄目白面黄目黑者皆不死也奇脉謂與色不相偶合也○凡色見黄皆爲有胃氣故不死也○新校正云按甲乙經無之奇脉三字面青目赤面赤目白面青目黑面黑目白面赤目青皆死也無黄色而皆死者以無胃氣也五藏以腎氣爲本故無黄色皆曰死焉

○五藏別論篇第十一新校正云按全元起本在第五卷

黄帝問曰余聞方士或以腦髓爲藏或以腸胃爲藏或以爲府敢問更相反皆自謂是不知其

道願聞其說方士謂明悟方術之士也言互為藏府之差異者經中猶有之矣靈蘭秘典論以腸胃為十二藏相使之次六節藏象論云十一藏取決於膽五藏生成篇云五藏之象可以類推五藏相音可以意識此則互相矛楯爾腦髓為藏應在別經獨聖以斷岐伯對曰腦髓骨脈膽女子胞此六者地氣之所生也皆藏於陰而象於地故藏而不寫名曰奇恒之府腦髓骨脈雖名為府不正與神藏為表裏膽與肝合而不同六府之傳寫胞雖出納納則受納精氣出則化出形容形容之出謂化極而生然出納之用有殊於六府故言藏而不寫名曰奇恒之府也夫胃大腸小腸三焦膀胱此五者天氣之所生也其氣象天故寫而不藏此受五藏濁氣名曰傳化之府此不能久留輸寫者也言水

穀入已糟粕變化而泄出不能久留生於中但當化已輸寫令去而已傳寫諸化故曰傳化之府也魄門亦爲五藏使水穀不得久藏謂肛之門也內通於肺故曰魄門受已化物則爲五藏行使然水穀亦不得久藏於中所謂五藏者藏精氣而不寫也故滿而不能實精氣爲滿水穀爲實但藏精氣故滿而不能實。新校正云按全元起本及甲乙經太素精氣作精神六府者傳化物而不藏故實而不能滿也以不藏精氣但受水穀故也所以然者水穀入口則胃實而腸虛以未下也食下則腸實而胃虛水穀下也故曰實而不滿滿而不實也帝曰氣口何以獨爲五藏主氣口則寸口也亦謂脉口以寸口可候氣之盛衰故云氣口可以切脉之動靜故云脉口皆同取於手魚際之後同身寸之一寸是則寸口也岐伯曰胃者水穀之海六府之大源也人有四海水穀之海則其一也受水穀已榮養四傍以其當運化之源故為六府之大源也五味入口藏於胃以養五藏氣氣口亦太陰也氣口在手魚際之後同身寸之一寸氣口之所候脉動者是手太陰脉氣所行故言氣口亦太陰也是以五藏六府之氣味皆出於胃變見於氣口榮氣之道內穀為實○新校正云詳此注出靈樞實作寶○穀入於胃氣傳與肺精專者循肺氣行於氣口故云變見於氣口也○新校正云按全元起本出作入故五氣入鼻藏於心肺心肺有病而鼻為之不利也

凡治病必察其下適其脉觀其志意與其病也下謂目下所見可否也調適其脉之盈虛觀量志意之邪正及病深淺成敗之宜乃守法以治

之也○新校正云按太素作必察其上下適其脈候觀其志意與其病能拘於鬼神者不可與言至德志意邪則好祈禱言至德則事必違故不可與言至德也惡於鍼石者不可與言至巧惡於鍼石則巧不得施故不可與言至巧惡音汚病不許治者病必不治治之無功矣必不許人治之是其必死強爲治者功亦不成故曰治之無功矣

新刊黃帝內經素問卷第三

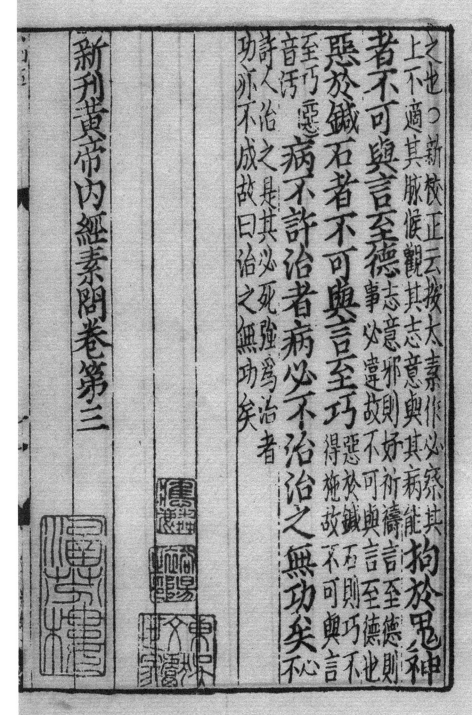

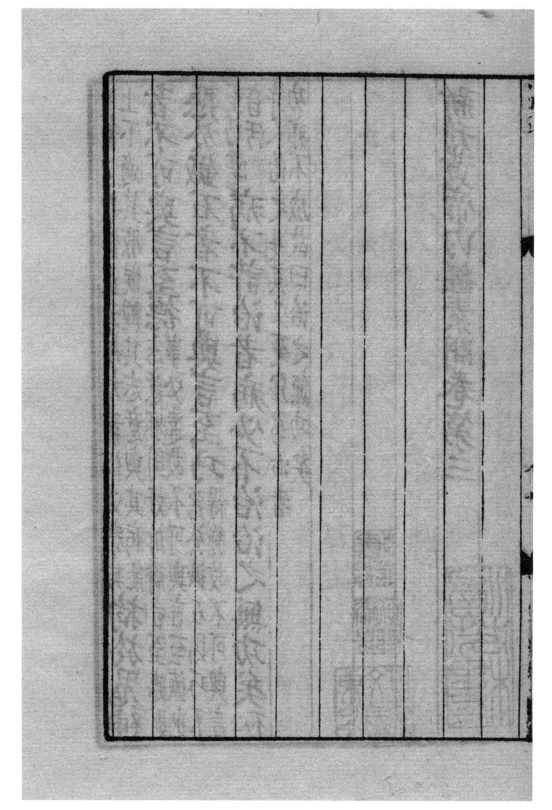

新刊黄帝内經素問卷第四

啓玄子次註林億孫奇高保衡等奉敕校正孫兆重改誤

異法方宜論　移精變氣論

湯液醪醴論　玉板論要篇

診要經終論

○異法方宜論篇第十二

新校正云按全元起本在第九卷

黄帝問曰醫之治病也一病而治各不同皆愈何也不同謂鍼石灸焫毒藥導引按蹻也歧伯對曰地勢使然也謂法天地生長收藏及高下燥濕之勢故東方之域天地之所始生也法春氣也魚鹽之地海濱傍水魚鹽之地海之利也濱水際也

隨業近之其民食魚而嗜鹹皆安其處美其食豐其利故
居安恣其味故食美魚者使人熱中鹽者勝血魚發瘡則熱中之信
鹽發渴則勝血之徵故其民皆黑色踈理其病皆為癰瘍
血弱而熱故喜為癰瘍其治宜砭石砭石謂以石為鍼也山海經曰高氏之山
有石如玉可以為鍼則砭石也○新校正云按氏一作伐故砭石者亦從東
方來東人今用之西方者金玉之域沙石之處天地
之所收引也法秋氣也引謂牽引使收斂也其民陵居而多風
水土剛強居室如陵故曰陵居金氣肅殺故水土剛強也○新校正云詳大抵西方
地高民居高陵故多風也不必室如陵矣其民不衣而褐薦其民華
食而脂肥不衣絲綿故曰不衣褐謂毛布也薦謂細草也華謂鮮美酥酪骨肉之類

也以食鮮美故人体脂肥故邪不能傷其形體其病生於內水土剛強飲食脂肥膚腠閉封血氣充實故邪不能傷也內謂喜怒悲憂恐及飲食男女之過甚也。新校正云詳悲一作思當作思巳具陰陽應象大論注中其治宜毒藥能攻其病則謂之毒藥以其血氣盛肌肉堅飲食華水土強故病宜毒藥方制御之藥謂草木虫魚鳥獸之類皆能除病者也故毒藥者亦從西方來西人方術今率

之北方者天地所閉藏之域也其地高陵居風寒冰冽法冬氣也其民樂野處而乳食藏寒生滿病水寒冰冽故生病於藏寒也。新校正云按甲乙經无滿字其治宜灸焫火艾燒灼謂之灸焫故灸焫者亦從北方來北人正行其法南方者天地所長養陽之所盛處也其地下水土弱霧

露之所聚也（陽夏氣也地下則水流歸之水多故土弱而霧露聚）其民嗜酸而食胕（言其所食不芬香○新校正云按全元起云食魚也）故其民皆緻理而赤色其病攣痺（酸味收斂故人皆肉理密緻陽盛之處故色赤濕氣内蒲熱氣外薄故筋攣脉痺也）其治宜微鍼（微細小也細小之鍼調脉衰盛也）故九鍼者亦從南方來（南人盛崇之）中央者其地平以濕天地所以生萬物也衆（陽土德之用故生物衆然東方海南方下西方北方高中央之地平以濕則地形斯異生病殊焉）其民食雜而不勞（四方輻輳而万物交歸故人食紛雜而不勞也）故其病多痿厥寒熱（濕氣在下故多病痿弱氣逆及寒熱也陰陽應象大論曰地之濕氣感則害皮肉筋脉居近於濕故爾）其治宜導引按蹻（導引謂摇筋骨動支節按謂抑按皮肉蹻

謂捷舉手足故導引按蹻者亦從中央出也中央用爲養神調氣之正道也故聖人雜合以治各得其所宜隨方而用各得其宜惟聖人法乃能然矣故治所以異而病皆愈者得病之情知治之大體也達性懷故然

○移精變氣論篇第十三新校正云按全元起本在第二卷

黃帝問曰余聞古之治病惟其移精變氣可祝由而已今世治病毒藥治其內鍼石治其外或愈或不愈何也移謂移易變謂變改皆使邪不傷正精神復強而內守也生氣通天論曰聖人傳精神服天氣上古天真論曰精神內守病安從來岐伯對曰往古人居禽獸之間動作以避寒陰居以避暑內

無眷慕之累外無伸宦之形新校正云按全元起本伸作臾此恬憺之世邪不能深入也故毒藥不能治其内鍼石不能治其外故可移精祝由而已古者巢居穴處夕隱朝遊禽獸之間斷可知矣然動躁陽盛故身熱足以禦寒涼氣生寒故陰居可以避暑矣夫志捐思想則内無眷慕之累心亡願欲故外亡伸宦之形靜保天真自無邪勝是以移精變氣無假毒藥祝説病由不勞鍼石而已○新校正云按全元起云祝由南方神今之世不然情慕云爲遂於苦境也憂患緣其内苦形傷其外又失四時之從逆寒暑之宜賊風數至虚邪朝夕内至五藏骨髓外傷空竅肌膚所以小病必甚大病必死故祝由不能已也帝曰善余欲臨病人

觀死生決嫌疑欲知其要如日月光可得聞乎岐伯曰色脉者上帝之所貴也先師之所傳也上帝謂上古之帝先師謂岐伯祖世之師僦貸季也上古使僦貸季理色脉而通神明合之金木水火土四時八風六合不離其常先師以色白脉毛而合金應秋以色青脉弦而合木應春以色黑脉石而合水應冬以色赤脉洪而合火應夏以色黃脉代而合土應長夏及四季然以是色脉下合五行之休王上副四時之往來故六合之間八風鼓拆不離常候盡可與期何者以見其變化而知之也故下文曰變化相移以觀其妙以知其要欲知其要則色脉是矣言所以知四時五行之氣變化相移之要妙者何以色脉故也色以應日脉以應月常求其要則其要也言脉

應月色應日者占候之期準也常來色脉之差忒是則平人之診要也夫色之變
化以應四時之脉此上帝之所貴以合於神明
也所以遠死近生觀色脉之藏否曉死生之戲兆故能常遠於死而近於生
也生道以長命曰聖王上帝闇道勤而行之生道以長推聖王乃爾而
常消也中古之治病至而治之湯液十日以去八
風五痺之病八風謂八方之風五痺謂皮肉筋骨脉之痺也靈樞經曰風從東方
來名曰嬰兒風其傷人也外在於筋紐內舍於
肝風從東南來名曰弱風其傷人也外在於肌
內舍於胃風從南方來名曰大弱風其傷人也
外在於脉內舍於心風從西南來名曰謀風其
傷人也外在於肉內舍於脾風從西方來名曰
剛風其傷人也外在於皮內舍於肺風從西北
來名曰折風其傷人也外在於手太陽之脉內
舍於小腸風從北方來名曰大剛風其傷人也

外在於骨內舍於腎風從東北來名曰凶風其傷人也外在於掖腸內舍於大腸又痺論曰以春甲乙傷於風者爲筋痺以夏丙丁傷於風者爲脉痺以秋庚辛傷於風者爲皮痺以冬壬癸傷於邪者爲骨痺以至陰遇此者爲肉痺是所謂八風五痺之病也○新校正云按此註引痺論今經中痺論不如此當云風論曰以春甲乙傷於風者爲肝風以夏丙丁傷於風者爲心風季夏戊己傷於邪者爲脾風以秋庚辛中於邪者爲肺風以冬壬癸中於邪者爲腎風痺論曰風寒濕三氣雜至合而爲痺以冬遇此者爲骨痺以春遇此者爲筋痺以夏遇此者爲脉痺以至陰遇此者爲肌痺以秋遇此者爲皮痺

十日不已治以草蘇草荄之枝本末爲助標本已得邪氣乃服

草蘇謂藥煎也草荄謂草根也枝謂莖也言以諸藥根苗合成其煎俾相佐助而以服之凡藥有用根者有用莖者有用枝者有用華實者有用根莖枝華實者湯液不去則盡用之故云本末爲助也標本已得

邪氣乃張者言工人與病主療相應則邪氣率服而隨時順也湯液醪醴論曰病爲本工爲標標本不得邪氣不服此之謂主療不相應也或謂取標標本論主云鍼也○新校正云按全元起本文云得其標本邪氣乃散矣暮世之治病也則不然治不本四時不知日月不審逆從四時之氣各有所在不本其處而即妄攻是反古也四時刺逆從論曰春氣在經脉夏氣在孫絡長夏氣在肌肉秋氣在皮膚冬氣在骨髓工當各隨所在而辟伏其邪爾不知日月者謂日有寒温明暗月有空滿虧盈也八正神明論曰凡刺之法必候日月星辰四時八正之氣氣定乃刺之是故天温日明則人血淖液而衛氣浮故血易寫氣易行天寒日陰則人血凝泣而衛氣沈月始生則血氣始精衛氣始行月郭滿則血氣盛肌肉堅月郭空則肌肉減經絡虛衛氣去形獨居是以因天時而調血氣也是故天寒無刺天温無凝月生無寫月滿無補月郭空無治是謂得時而調之因天之序盛虛之時

移光定位正立而待之故日月生而寫是謂藏虛月滿而補血氣盈溢絡有流血命曰重實月郭空而治是謂亂經陰陽相錯眞邪不別沉以留止外虛內亂淫邪乃起此之謂也不審逆從者謂不審量其病可治與不可治也故下文曰病形已成乃欲微鍼治其外湯液治其內言心意粗略不精審也粗工兇兇以爲可攻故病未已新病復起粗謂粗略也兇兇謂不料事宜之可否也何以言之假令飢人形氣羸劣食令極飽能不霍乎豈其與食而爲惡邪蓋爲失時復過節也非病逆鍼石湯液失時過節則其害反增矣○新校正云按別本霍一作害帝曰願聞要道岐伯曰治之要極無失色脈用之不惑治之大則惑謂惑亂則謂法則也言色脈之應昭然不欺但順用而不亂紀綱則治病審當之大法也逆從到行標本不得亡神失國逆從到行

謂反順爲逆標本不得謂工病失宜夫以反理到行所爲非順豈惟治人而神氣受害若使之輔佐君主亦令國祚不保康寧矣去故就新乃得真人標本不得工病夫宜則當去故逆理之人就新明悟之士乃得至真精曉之人以全已也帝曰余聞其要於夫子矣夫子言不離色脉此余之所知也岐伯曰治之極於一帝曰何謂一岐伯曰一者因得之因問而得之也帝曰奈何岐伯曰閉戶塞牖繫之病者數問其情以從其意問其所欲而察是非也得神者昌失神者亡帝曰善

○湯液醪醴論篇第十四新校正云按全元起本在第五卷

黃帝問曰爲五穀湯液及醪醴奈何液謂清液醪醴謂酒

之屬也岐伯對曰必以稻米炊以稻薪稻米者完稻薪者堅堅謂資其堅勁完謂取其完全完全則酒清冷堅勁則氣迅疾而効速也帝曰何以然言何以能完堅邪岐伯曰此得天地之和高下之宜故能至完伐取得時故能至堅也夫稻者生於陰水之精首戴天陽之氣二者和合然乃化成故云得天地之和而能至完秋氣勁切霜露凝結稻以冬採故云伐取得時而能至堅帝曰上古聖人作湯液醪醴爲而不用何也岐伯曰自古聖人之作湯液醪醴者以爲備耳言聖人愍念生靈先防萌漸陳其法制以備不虞耳夫上古作湯液故爲而弗服也聖人不治已病治未病故但爲備用而不服也中古之世道德稍衰邪氣時至服之萬

全雖道德稍衰邪氣時至以必猶近道故服用万全也帝曰今之世不必已何也言不必如中古之世用也岐伯曰當今之世必齊毒藥攻其中鑱石鍼艾治其外也言法殊於往古也帝曰形弊血盡而功不立者何岐伯曰神不使也帝曰何謂神不使岐伯曰鍼石道也言神不能使鍼石之妙用也何者志意違背於師尔故也精神不進志意不治故病不可愈動離於道耗散天眞故尔○新校正云按全元起本云精神進志意定故病可愈太素云精神越志意散故病不可愈今精壞神去榮衛不可復收何者嗜欲無窮而憂患不止精氣弛壞榮泣衛除故神去之而病不愈也精神者生之源榮衛者氣之主氣主不輔生源

復消神不內居病何能愈哉帝曰夫病之始生也極微極精必先入結於皮膚今良工皆稱曰病成名曰逆則鍼石不能治良藥不能及也今良工皆得其法守其數親戚兄弟遠近音聲日聞於耳五色日見於目而病不愈者亦何暇不早乎新校正云按別本暇一作謂岐伯曰病為本工為標標本不得邪氣不服此之謂也言醫与病不相得也然工人或親戚兄弟該明情疑勿用工先備識不謂知方鍼艾之妙療容藥石之攻匪頒如是則道雖昭著万舉万全病不許治欲奚為療五藏別論曰拘於鬼神者不可与言至德惡於鍼石者不可与言至巧病不許治者病必不治治之无功此皆謂工病不相得邪氣不賓服也豈誰鍼艾之有惡哉藥石亦有之矣。新校

正云按移精變氣論曰標本已得邪氣乃服帝曰其有不從毫毛生
而五藏陽以竭也新校正云按全元起本及太素陽作湯義亦通津液
充郭其魄獨居孤精於內氣耗於外形不可與
衣相保此四極急而動中是氣拒於內而形施
於外治之奈何不從毫毛言生於內也陰氣內盛陽氣竭絕不得入於腹中故
言五藏陽以竭也津液者水也充滿也郭皮也
陰稸於中水氣脹滿上攻於肺肺氣孤危魄者
肺神腎爲水害子不救母故云其魄獨居也夫
陰精損削於內陽氣耗減於外則三焦閉溢水
道不通水滿皮膚身體否腫故云形不可與衣
相保也凡此之類皆四支脉數急而內鼓動於
肺中也肺動者謂氣急而欬也言如是者皆水
氣格拒於腹膜之內浮腫施張於身形之外欲
窮標本其可得乎四極言四末則四支也左傳
曰風淫末疾靈樞經曰陽受氣於四末新校

止二字詳形施於外施字疑誤岐伯曰平治於權衡去宛陳莝新校正云按太素莝作莖是以微動四極溫衣繆刺其處以復其形開鬼門潔淨府精以時服五陽已布踈滌五藏故精自生形自盛骨肉相保巨氣乃平

平治權衡謂察脈浮沈也脈浮爲在表脈沈爲在裏在裏者泄之在外者汗之故下文云開鬼門潔淨府也去宛陳莝謂去積久之水物猶如草莝之不可久留於身中也全本作草莖微動四極謂四支也令陽氣漸以宣行故又曰溫衣也經脈滿則絡脈溢絡脈溢則繆刺之以調其絡脈使形容如舊而不腫故云繆刺其處以復其形也開鬼門是啓玄府遺氣也五陽是五藏之陽氣也潔淨府謂寫膀胱水去也脈和則五藏之氣以時賓服於胃藏也然五藏之陽漸而宣布五藏之外氣穢復除也如是故精髓自生形肉自盛藏府既和則骨肉之氣更相保抱

大經脉奇恒然乃平復難帝曰善

○玉版論要篇第十五新校正云按全元起本在第二卷

黃帝問曰余聞揆度奇恒所指不同用之奈何岐伯對曰揆度者度病之淺深也奇恒者言奇病也請言道之至數五色脉變揆度奇恒道在於一一謂色脉之應也知色脉之應則可以揆度奇恒矣○新校正云按全元起本請作謂神轉不回回則不轉乃失其機血氣者神氣也八正神明論曰血氣者人之神不可不謹養也夫血氣應順四時遞遷囚王循環五氣無相奪倫是則神轉不回也回謂却行也然血氣隨王不合却行却行則反常反常則回而不轉也回而不轉乃失生氣之機矣何以明之夫木衰則火王火衰則土王土衰則金王金衰則水王水衰則木王

終而後始循環此之謂神轉不回也若木衰水王水衰金王金衰土王土衰火王火衰木王此之謂回而不轉也然反天常軌生之何有耶至數之要迫近以微言五色五脉變化之要道迫近於天常而又微妙著之玉版命曰合玉機玉機篇名也言以此回轉之要旨著之玉版合同於玉機論文也○新校正云詳這之至數至此與玉機眞藏論文相重注頗不同容色見上下左右各在其要容色者他氣也如肝木部內見赤黃白黑色皆謂他氣也餘藏率如此例所見皆在明堂上下左右要察候處故云各在其要○新校正云按全元起本容作客視色之法具甲乙經中其色見淺者湯液主治十日已色淺則病微故十日乃已其見深者必齊主治二十一日已色深則病甚故必終齊乃已其見大深者醪酒主治百日已病深甚故日多色夭面

脫不治色見大深兼之夭惡面肉又脫不可治也百日盡已色不夭面不脫
治之百日盡可已○新校正云詳色夭面脫雖不治然期當百日乃已盡也脈短氣
絕死脈短已虛加之漸絕真氣將竭故必死病溫虛甚死甚虛而病溫溫
氣內涸其精血故死色見上下左右各在其要上為逆下
為從色見於下者病生之氣也故從色見於上者傷神之兆也故逆女子右為
逆左為從男子左為逆右為從左為陽故男子右為從而左為
逆右為陰故女子右為逆而左為從易重陽死重陰死女子色見於左男子
色見於右是變易也男子色見於左是曰重陽女子色見於右是曰重陰氣極則反故皆死也
陰陽反他新校正云按陰陽應象大論云陰陽反作治在權衡相奪
奇恒事也揆度事也權衡相奪謂陰陽二氣不得高下之宜是奇於恒常

之事當揆度其氣隨宜而處療之搏脉痺躄寒熱之交脉擊搏於手而
病瘵痺及攣躄者皆寒熱之氣交合所爲非邪氣虛實之所生也脉孤爲消氣
虛泄爲奪血夫脉有表有裏有裏無表皆曰孤亡之氣也若有表有裏而氣不足
者皆曰虛衰之氣也孤爲逆虛爲從孤無所依故曰逆虛衰可復故曰從行
奇恒之法以太陰始凡揆度奇恒之法先以氣口太陰之脉定四時之正
氣然後度量奇恒之氣也行所不勝曰逆逆則死木見金脉金見火脉
火見水脉水見土脉土見木脉如是皆行所不勝也故曰逆逆勝不已故逆則死焉行所
勝曰從從則活木見水火土脉火見金土木脉土見金水火脉金見土木水脉
水見金火木脉如是者皆可勝之脉故曰從從則無所尅殺傷敗故從則活也八風四
時之勝終而復始以不越於五行故雖相勝猶循環終而復始也逆行

一過不復可數論要畢矣（過謂遍也然逆行一過遍於五氣者不復可數爲平和矣）

○診要經終論篇第十六（新校正云按全元起本在第二卷）

黄帝問曰診要何如岐伯對曰正月二月天氣始方地氣始發人氣在肝（方正也言天地氣正發生其萬物也木治東方王七十二日猶當三月節後一十二日是木之用事以月而取則正月二月人氣在肝）三月四月天氣正方地氣定發人氣在脾（天氣正方以陽氣明盛地氣定發爲萬物華而欲實也然季終土寄而王土又生於丙故人氣在脾）五月六月天氣盛地氣高人氣在頭（天陽赫盛地焰高升故言天氣盛地氣高火性炎上故人氣在頭）七月八月陰氣始殺人氣

在肺七月三陰爻生八月陰始肅殺故云陰氣始殺也然陰氣肅殺類合於金肺氣象金故人氣在肺九月十月陰氣始冰地氣始閉人氣在心陰氣始凝地氣始閉隨陽而入故人氣在心十一月十二月冰復地氣合人氣在腎陽氣深伏故氣在腎也夫氣之變也故發生於木長茂於土盛高而上肅殺於金避寒於火伏藏於水斯皆隨順陰陽氣之升沉也五藏生成篇曰五藏之象可以類推此之謂氣類也故春刺散俞及與分理血出而止散俞謂間穴分理謂肌肉分理○新校正云按四時刺逆從論云春氣在經脉此散俞即經脉之俞也又水熱穴論云春取絡脉分肉甚者傳氣間者環也辨疾氣之間甚也傳謂相傳環謂循環也相傳則傳所不勝循環則周迴於五氣也○新校正云按太素環作環已也夏刺絡俞見血而止盡氣閉環痛病

必下盡氣謂出血而盡鍼下取所病脉盛邪之氣也邪氣盡已穴俞閉密則經脉循環而
痛病之氣必下去矣以陽氣大盛故為是法刺之○新校正云按四時刺逆從論云夏氣在孫
絡此絡俞即孫絡之俞也又水熱穴論云夏取盛經分腠秋刺皮膚循理上
下同法神變而止循理謂循肌肉之分理也上謂手脉下謂足脉神變謂脉
氣變易與未刺時異也脉者神之用故爾言之○新校正云按四時刺逆從論云秋氣在皮膚
義與此合又水熱穴論云取俞以寫陰邪取合以虛陽邪皇甫士安云是始秋之治變冬
刺俞竅於分理甚者直下間者散下直下謂直爾下之散
下謂散布下之○新校正云按四時刺逆從論云冬氣在骨髓此俞竅即骨髓之俞竅也又水
熱穴論云冬取井滎皇甫士安云是末冬之治變也春夏秋冬各有所刺
法其所在春刺夏分脉亂氣微入淫骨髓病不

能愈令人不嗜食又且少氣心主脉故脉亂氣微水受氣交夏腎主骨故入淫交骨髓也心火微則胃土不足故不嗜食而少氣也○新校正云按四時刺逆從論云春刺絡脉血氣外溢令人少氣春刺秋分筋攣逆氣環爲欬嗽病不愈令人時驚又且哭木受氣交秋肝主筋故刺秋分則筋攣也若氣逆環周則爲欬嗽肝主驚故時驚肺主氣故氣逆又且哭也○新校正云按四時刺逆從論云春刺肌肉血氣環逆令人上氣也春刺冬分邪氣著藏令人脹病不愈又且欲言語冬主陽氣伏藏故邪氣著藏腎實則脹故刺冬分則令人脹也火受氣交冬心主言故欲言語也○新校正云按四時刺逆從論云春刺筋骨血氣内著令人腹脹夏刺春分病不愈令人解墮肝養筋肝氣不足故筋力解墮○新校正云按四時刺逆從論云夏刺經脉血氣乃竭令人解㑊夏

刺秋分病不愈令人心中欲無言惕惕如人將捕之肝木爲語傷秋分則肝木虛故恐如人將捕之肝不足故欲無言而復恐也○新校正云按四時刺逆從論云夏刺肌肉血氣內却令人善恐甲乙經作悶夏刺冬分病不愈令人少氣時欲怒夏傷於腎肝肺勃之志內不足故令人少氣時欲怒也○新校正云按四時刺逆從論云夏刺筋骨血氣上逆令人善怒秋刺春分病不已令人惕然欲有所爲起而忘之肝虛故也刺不當也○新校正云按四時刺逆從論云秋刺經脈血氣上逆令人善忘秋刺夏分病不已令人益嗜臥又且善夢心氣少則脾氣孤故令嗜臥心主夢神爲之故令善夢○新校正云按四時刺逆從論云秋刺絡脈氣不外行令人臥不欲動秋刺冬分病不已令人洒洒時寒陰氣上干故時寒也

洒洒寒慄○新校正云按四時刺逆從論云秋刺筋骨血氣內散令人寒慄冬刺春分病不已令人欲卧不能眠眠而有見肝氣少故令欲卧不能眠肝主目故眠而如見有物之形狀也○新校正云按四時刺逆從論云冬刺經脈血氣皆脫令人目不明冬刺夏分病不愈氣上發爲諸痺泄脈氣故也○新校正云按四時刺逆從論云冬刺絡脈血氣外泄留爲大痺冬刺秋分病不已令人善渴肺氣不足故發渴○新校正云按四時刺逆從論云冬刺肌肉陽氣竭絕令人善忘凡刺胷腹者必避五藏心肺在鬲上腎肝在鬲下脾象土而居中故刺胷腹必避之五藏者所以藏精神魂魄意志損之則五神去神去則死至故不可不慎也中心者環死氣行如環之一周則死也正謂周十二辰也○新校正云按刺禁論云一日死其動爲噫四時刺逆從論同此經闕刺中肝死日刺禁論云中

肝五日死其動爲語四時刺逆從論同中脾者五日死土數五也○新校正云按刺禁論云中脾十日死其動爲吞四時刺逆從論同中腎者七日死水成數六水數畢當至七日而死一云十日死字之誤也○新校正云按刺禁論云中腎六日死其動爲嚏四時刺逆從論云中腎六日死其動爲嚏欠中肺者五日死金生數四金數畢當至五日而死一云三日死亦字誤也○新校正云按刺禁論云中肺三日死其動爲欬四時刺逆從論同王注四時刺逆從論云此三論皆岐伯之言而不同者傳之誤也中鬲者皆爲傷中其病雖愈不過一歲必死五藏之氣同主一年鬲傷則五藏之氣互相剋伐故不過一歲必死刺避五藏者知逆從也所謂從者鬲與脾腎之處不知者反之腎著於脊脾藏居中鬲連於脇際知者爲順不知者反傷其藏刺膺腹者必以布

㩧著之乃從單布上刺形定則不誤中於五藏也○新校正云按別本
撽一作㩧又作撽㩧古克切著直畧切刺之不愈復刺要以氣至爲故也鍼
經曰刺之氣不至無問其數刺之氣至去之勿復鍼此之謂也刺鍼必肅肅謂靜肅
所以候氣之存亡云刺腫搖鍼以出大膿血故經刺勿搖經氣不欲泄故
此刺之道也帝曰願聞十二經脉之終奈何終謂
盡也岐伯曰太陽之脉其終也戴眼反折瘛瘲其
色白絕汗乃出出則死矣戴眼謂睛不轉而仰視也然足太陽脉起
於目內眥上額交巔上從巔入絡腦還出別下項循肩髆內俠脊抵腰中其支別者下循足至
小指外側手太陽脉起於手小指之端循臂上肩入缺盆其支別者上頰至目內眥抵足太陽
○新校正云按甲乙經作斜絡於顴○又其支別者從缺盆循頸上頰至目外眥○新校正云

按甲乙經外作究○故戴眼反折瘈瘲色白絕汗乃出也絕汗謂汗暴出如珠而不墮旋復乾也太陽極則汗出故出則死少陽終者耳聾百節皆縱目睘絕系絕系一日半死其死也色先青白乃死矣足少陽脉起於目鋭眥上抵頭角下耳後其支別者從耳後入耳中出走耳前手少陽脉其支別者從耳後亦入耳中出走耳前故終則耳聾目睘絕系也少陽主骨故氣終則百節縱緩色青白者金木相薄也故見死矣睘謂直視如驚貌睘音瓊陽明終者口目動作善驚妄言色黃其上下經盛不仁則終矣足陽明脉起於鼻交頞中下循鼻外入上齒縫中還出俠口環脣下交承漿却循頤後下廉出大迎循頰車上耳前過客主人循髮際至額顱其支別者從大迎前下人迎循喉嚨入缺盆下鬲手陽明脉起於手循臂至肩上出於柱骨之會上下入缺盆絡肺其支別者從缺盆上頸貫頰下

入齒中還出挾口交人中左之右右之左上挾鼻鼽抵足陽明。新校正云按甲乙經鼽作孔無抵足陽明四字。故終則口目動作也口目動作謂目睒睒而鼓頷也胃病則惡人與火聞木音則惕然而驚又罵詈罵詈而不避親踈故善驚妄言也黃者土色上謂手脉下謂足脉也經盛謂面目頸頷足跗腕脛皆躁盛而動也不仁謂不知善惡如是者皆氣竭之徵也故終矣閩音閉

少陰終者面黑齒長而垢腹脹閉上下不通而終矣手少陰氣絕則血不流足少陰氣絕則骨不耎骨硬則齗上宣故齒長而積垢汗血壞則皮色死故面色如漆而不赤也足少陰脉從腎上貫肝鬲入肺中手少陰脉起於心中出屬心系下鬲絡小腸故其終則腹脹閉上下不通也。新校正云詳王注云骨不耎骨硬按難經及甲乙經云骨不濡則肉弗能著當作骨不濡手少陰脉絡少腸甲乙經作絡小腸

太陰終者腹脹閉不得息善噫善嘔足太陰脉行從

股内前廉入腹屬脾絡胃上鬲手少陰脉起於
中焦下絡大腸還循胃口上鬲屬肺故於則祈
是也靈樞經曰足太陰之脉
動則病食則嘔腹脹善噫也
嘔則逆逆則面赤
嘔則氣逆故面赤○新校正云按
靈樞經作善噫噫則嘔嘔則逆
不逆則上下
不通不通則面黑皮毛焦而終矣
嘔則上通故
但面赤不嘔
則下已閉上復不通心氣外燔故皮毛焦而終
矣何者足太陰脉支別者復從胃別上鬲注心
中由是則皮毛焦
心氣外燔而然也
乃
厥陰終者中熱嗌乾善溺
心煩甚則舌卷卵上縮而終矣
足厥陰絡循脛
上睾結於莖其
正經入毛中下過陰器上抵少腹挾胃上循喉
嚨之後入頏顙手厥陰脉起於胸中出屬心包
故終則中熱嗌乾善溺心煩矣靈樞經曰肝者
筋之合也筋者聚於陰器而脉絡於舌本故甚
則舌卷卵上縮也又以厥陰之脉過陰器故
爾○新校正云按甲乙經臯作睪過作環
此

十二經之所敗也手三陰三陽足三陰三陽則十二經也敗謂氣終盡而敗壞也。新校正云：詳十二經終又出靈樞經與素問重。

新刊黄帝内經素問卷第四

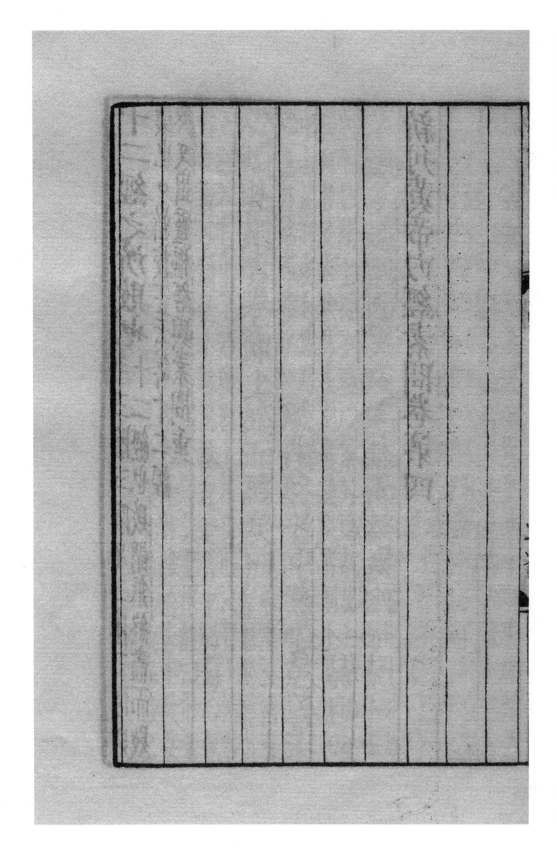

新刊黃帝內經素問卷第五

啓玄子次註林億孫奇高保衡等奉敕校正孫兆重改誤

脉要精微論　平人氣象論

○脉要精微論篇第十七

新校正云按全元起本在第六卷

黃帝問曰診法何如岐伯對曰診法常以平旦陰氣未動陽氣未散飲食未進經脉未盛絡脉調勻氣血未亂故乃可診有過之脉動謂動而降卑散謂散布而出也過謂異於常候也○新校正云按脉經及千金方有過之脉作過此非也王注陰氣未動謂動而降卑按金匱真言論云平旦至日中天之陽陽中之陽也則平旦為一日之中紀陽之時陰氣未動耳何有降卑之義切脉動靜而視精明察五

色觀五藏有餘不足六府強弱形之盛衰以此
參伍決死生之分切謂以指切近於脉也精明穴名也在明堂左右兩目內
眥也以近於目故曰精明言以形氣盛衰脉之多少觀精明之間氣色觀藏府不足有餘參其
類伍以決死生之分夫脉者血之府也府聚也言血之多少皆聚見於經脉
之中也故刺志論曰脉實血實脉虛血虛此其常也及此者病由是故也長則氣治
短則氣病數則煩心大則病進夫脉長為氣和故治短為不足
故病數急為熱故煩心大為邪盛故病進也長脉者往來長短脉者往來短數脉者往來急速
大脉者往來滿大也上盛則氣高新校正云按全元起本高作鬲下盛則
氣脹代則氣衰細則氣少新校正云按太素細作滑濇則心
痛上謂寸口下謂尺中盛謂盛滿代脉者動而中止不能自還細脉者動如莠蓬濇脉者往

來時不利而蹇澀也渾渾革至如涌泉病進而色弊緜緜其去如弦絶死渾渾言脉氣濁亂也革至者謂脉來弦而大實而長也如涌泉者言脉汩汩但出而不返也緜緜言微微似有而不甚應手也如弦絶者言脉卒斷如弦之絶去也若病候日進而色弊惡如此之脉皆必死也○新校正云按甲乙經及脉經作渾渾革革至如涌泉病進而危弊弊綽綽其去如弦絶者死夫精明五色者氣之華也五氣之精華者上見爲五色變化於精明之間也六節藏象論曰天食人以五氣五氣入鼻藏於心肺上使五色脩明此則明察五色也赤欲如白裹朱不欲如赭白欲如鵝羽不欲如鹽新校正云按甲乙經作白欲如白壁之澤不欲如堊太素兩出之青欲如蒼璧之澤不欲如藍黃欲如羅裹雄黃不欲如黃土黑欲如重漆色不

欲如地蒼［新校正云按甲乙經作炭色］五色精微象見矣其壽不久也［赭色鹽色藍色黃土色地蒼色見者皆精微之敗象故其壽不久］夫精明者所以視萬物別白黑審短長以長爲短以白爲黑如是則精衰矣［誠其誤也夫如是者皆精明衰乃誤也］五藏者中之守也［身形之中五神安守之所也此皆明觀五藏也○新校正云按甲乙經及太素守作府］中盛藏滿氣勝傷恐者聲如從室中言是中氣之濕也［中謂腹中盛謂氣盛藏謂肺藏氣勝謂勝於呼吸而喘息變易也夫腹中氣盛肺藏充滿氣勝息變善傷於恐言聲不發如在室中者皆腹中有濕氣乃爾也］言而微終日乃復言者此奪氣也［若言音微細聲斷不續甚奪其氣乃如是也］衣被不斂言語善惡不避親

踈者此神明之亂也倉廩不藏者是門戶不要也倉廩謂脾胃門戶謂魄門靈蘭秘典論曰脾胃者倉廩之官也五藏別論曰魄門亦為五藏使水穀不得久藏也魄門則肛門也要謂禁要水泉不止者是膀胱不藏也水泉謂前陰之流注也得守者生失守者死夫如是倉廩不藏漭蕩恣衣被不斂水泉不止者皆神氣得其所守則生失其所守則死也夫何以知神氣之不守則衣被不斂言語善惡不避親踈則亂之證也亂甚則不守於藏也夫五藏者身之強也藏安則神守神守則身強故曰身之強也頭者精明之府頭傾視深精神將奪矣背者胷中之府背曲肩隨府將壞矣腰者腎之府轉搖不能腎將憊矣膝者筋之府屈伸不能行則僂附新校正云按別

（本附一作俯太素作跗）筋將備憊矣骨者髓之府不能久立行則振掉骨將憊矣（皆以所居所由而爲之府也）得強則生失強則死（強謂中氣強固以鎮守也）岐伯曰（新校正云詳此岐伯曰前無問）反四時者有餘爲精不足爲消應大過不足爲精應不足有餘爲消陰陽不相應病名曰關格（覆陳其脉應也夫反四時者諸不足皆爲血氣消損諸有餘皆爲邪氣勝精也陰陽之氣不相應合不得相營故曰關格）帝曰脉其四時動奈何知病之所在奈何知病之所變奈何知病乍在內奈何知病乍在外奈何請問此五者可得聞乎（言欲順四時及陰陽相應之狀候也）岐伯曰（新校正云詳此對與問不甚相應脉四時動病之所在病

之所變揔文頗對病在內在外之說後文列不相當請言其與天運轉大也指可見陰陽交運轉以其陰陽之不可見也萬物之外六合之內天地之變陰陽之應彼春之暖為夏之暑彼秋之忿為冬之怒四變之動脈與之上下六合謂四方上下也春暖為夏暑言陽生而至盛秋忿為冬怒言陰少而之壯也忿一為急言秋氣勁急也○新校正云按全元起本注暖作緩以春應中規春脈耎弱輕虛而滑如規之象中外皆然故以春應中規夏應中矩夏脈洪大兼之滑數如矩之象可正平之故以夏應中矩秋應中衡秋脈浮毛輕澀而散如秤衡之象高下必平故以秋應中衡冬應中權冬脈如石兼沈而滑如秤權之象下遠於衡故以冬應中權也以秋中衡冬中權者言脈之高下異處如此隨陰陽之氣故有斯四應不同也是故冬

至四十五日陽氣微上陰氣微下夏至四十五日陰氣微上陽氣微下陰陽有時與脉爲期期而相失如脉所分分之有期故知死時[察陰陽升降之準則知經脉遷遷之象審氣候遷遷之失則知氣血分合之期分期不差故知人死之時節]微妙在脉不可不察察之有紀從陰陽始[推陰陽升降精微妙用皆在經脉之氣候是以不可不察故始以陰陽爲察候之綱紀]始之有經從五行生生之有度四時爲宜[言始所以知有經脉之察候司應者何哉盖從五行衰王而爲準度也機求大過不及之形診皆以應四時者爲生氣所宜也○新校正云按太素宜作數]補寫勿失與天地如一[有餘者寫之不足者補之是則應天地之常道也然天地之道損有餘而補不足是法天地之道也寫補

之宜工切審之其治氣亦然得一之情以知死生曉天地之道補寫不差既得一情亦可知生死之準的是故聲合五音色合五行脈合陰陽声表宮商角徵羽故合五音色見青黃赤白黑故合五行脈彰寒暑之休王故合陰陽之氣也是知陰盛則夢涉大水恐懼陰為水故夢涉水而恐懼也陰陽應象大論曰水為陰陽盛則夢大火燔灼陽為火故夢大火而燔灼也陰陽應象大論曰火為陽陰陽俱盛則夢相殺毀傷亦類交爭之氣象也上盛則夢飛下盛則夢墮氣上則夢上故飛氣下則夢下故墮甚飽則夢予內有餘故甚飢則夢取內不足故肝氣盛則夢怒肝在志為怒肺氣盛則夢哭肺声哀故為哭○新校正云詳是知陰盛則夢涉大水恐懼至此乃靈樞之文誤置於斯仍少心脾腎氣盛所夢今

具甲乙經中短蟲多則夢聚衆身中短蟲多則夢聚衆長蟲多
則夢相擊毀傷長蟲動則內不安內不安則神躁擾故夢是矣。新校正云詳
此二句亦不當出此應他經脫簡文也是故持脈有道虛靜爲保
前明脈應此舉持脈所由也然持脈之道必虛其心靜其志乃保定盈虛而不失。新校正云
按甲乙經保作宝春日浮如魚之遊在波雖出猶未全浮夏日
在膚泛泛乎萬物有餘泛泛平貌陽氣大盛脈氣亦象萬物之有餘易
取而洪大也秋日下膚蟄蟲將去隨陽氣之漸降故曰下膚何以明陽
氣之漸降蟄蟲將欲藏去也冬日在骨蟄蟲周密君子居室
在骨言脈深沈也蟄蟲周密言陽氣伏藏君子居室此人事也故曰知內者按
而紀之知內者謂知脈氣也故按而爲之綱紀知外者終而始之

知外者謂知色象故以五色終而復始此六者持脈之大法見是六者然後可以知脈之遷變也○新校正云詳此前對帝問脈其四時動奈何之事心脈搏堅而長當病舌卷不能言搏謂搏擊於手也諸脈搏堅而長者皆為勞心而藏脈氣虛極也心手少陰脈從心系上俠咽喉故令舌卷短而不能言也其耎而散者當消環自已諸脈耎散皆為氣實血虛也消謂消散環謂環周言其經氣如環之周當其火王自消散也○新校正云按甲乙經環作渴肺脈搏堅而長當病唾血肺虛極則絡逆絡逆則血泄血泄故唾出也其耎而散者當病灌汗至令不復散發也汗泄玄府津液奔湊寒水灌洗皮密汗藏因灌汗藏故言灌汗至令不復散發也灌謂灌洗盛暑多為此也○新校正云詳下文諸藏各言色而心肺二藏不言色者疑闕文也肝脈搏堅而長色不

青當病墜若搏因血在脅下令人喘逆諸脈見本經之氣而色不痺者皆非病從內生是外病來勝也夫肝藏之脈端直以長故言曰色不青當病墜若搏也肝主兩脇故曰因血在脇下也肝厥陰脉布脇肋循喉嚨之後其支別者復從肝別貫鬲上注肺今血在脇下則血氣上熏於肺故令人喘逆也其耎而散色澤者當病溢飲溢飲者渴暴多飲而易入肌皮腸胃之外也面色浮澤是爲中濕血虛中濕水液不消故言當病溢飲也以水飲滿溢故滲溢易而入肌皮腸胃之外也○新校正云按甲乙經易作溢胃脈搏堅而長其色赤當病折髀胃虛色赤火氣救之心象於火故色赤也胃陽明脈從氣衝下髀抵伏兔故病則髀如折也其耎而散者當病食痺痺痛也胃陽明脈其支別者從大迎前下人迎循喉嚨入缺盆下鬲屬胃絡脾故食則痛悶而氣不散也

○新校正云詳謂痺爲痛其義則未通脾脉搏堅而長其色黄當病少氣脾虛則肺無所養肺主氣故少氣也其耎而散色不澤者當病足䯒腫若水狀也色氣浮澤爲水之候色不潤澤故言若水狀也脾太陰脉自上內踝前廉上踹伏循䯒骨後交出厥陰之前上循膝股內前廉入腹故病足䯒腫也腎脉搏堅而長其色黄而赤者當病折腰逆氣黄赤是心脾干腎腎受客陽故腰如折也腰爲腎府故病發於中其耎而散者當病少血至令不復也腎主水以生化津液今腎氣不化故當病少血至令不復也帝曰新校正云詳帝曰至以其勝治之愈全元起本在湯液篇診得心脉而急此爲何病病形何如岐伯曰病名心疝少腹當有形也心爲牡藏其氣應陽今脉反寒故爲疝也諸脉勁急者皆

（爲寒形謂病形也）帝曰：何以言之？岐伯曰：心爲牡藏，小腸爲之使，故曰少腹當有形也。（少腹，小腸也。靈蘭秘典論曰：小腸者，受盛之官。以其受盛，故形居于内也。）帝曰：診得胃脈，病形何如？岐伯曰：胃脈實則脹，虛則泄。（脉實者氣有餘，故脹滿；脉虛者氣不足，故泄利。○新校正云：詳此前對帝問知病之所在。）帝曰：病成而變何謂？岐伯曰：風成爲寒熱，（生氣通天論曰：因於露風，乃生寒熱。故風成爲寒熱也。）癉成爲消中，（癉謂濕熱也。熱積於内，故變爲消中也。消中之證，善食而瘦。○新校正云：詳王注以善食而瘦爲消中，按本經多食數溲爲之消中，善食而瘦乃是食㑊之證，當云善食而溲數。）厥成爲巔疾，（厥謂氣逆也。氣逆上而不已，則變爲上巔之疾也。）久風爲飧泄，（久風不變，但在胃中，則食不化而泄利也。以所食内合而乘胃

故爲是病焉陰陽應象大論曰風氣通於肝故內應於肝也脉風成爲癘經風
論曰風寒客於脉而不去名曰癘風又曰癘者有榮氣熱胕其氣不清故使其鼻柱壞而色敗
皮膚瘍潰然此則癘也夫如是者皆脉風成結變而爲也病之變化不可勝
數新校正云詳此前對帝問知病之所變奈何帝曰諸癰腫筋攣骨
痛此皆安生安何也言何以生之岐伯曰此寒氣之腫八
風之變也八風八方之風也然癰腫者傷東南西南風之變也筋攣骨痛者傷東風
此風之變也靈樞經曰風從東方來名曰嬰兒風其傷人也外在筋紐風從東南來名曰弱風其
傷人也外在於肌風從西南來名曰謀風其傷人也外在於肉風從西方來名曰大剛風其
傷人也外在於骨由此四風之變而三病乃生故下問對是也帝曰治之奈何
岐伯曰此四時之病以其勝治之愈也勝謂勝剋也如

金勝木木勝土土勝水水勝火火勝金也則相勝也帝曰有故病五藏發
動因傷脉色各何以知其久暴至之病乎重以色氣
明前五藏堅長之脉有自病故病及因傷候也歧伯曰悉乎哉問也徵
其脉小色不奪者新病也氣乏而神猶強也徵其脉不
奪其色奪者此久病也神持而邪凌其氣也徵其脉與五
色俱奪者此久病也神與氣俱衰也徵其脉與五色俱
不奪者新病也神與氣俱強也肝與腎脉並至其色蒼
赤當病毀傷不見血已見血濕若中水也肝色蒼心
色赤赤色見當脉洪腎脉見當色黑今腎脉來反見心色故當因傷而血不見也若已見血則
是濕氣及水在腹中也何者以心腎脉色中外之候不相應也尺內兩傍則季

脅也尺內謂尺澤之內也兩傍各謂尺之外側也季脅近腎尺主之故尺內兩傍則季脅
也尺外以候腎尺裏以候腹中尺外謂尺之外側尺裏謂尺之
內側也次尺外下兩傍則季脅之分季脅之上腎之分季脅之內則腹之分也附上左
外以候肝內以候鬲肝上貫貫鬲也右外以候胃內以
候脾脾居中故以內候之胃為市故以外候之上附上右外以候肺
內以候胷中肺葉垂外故以外候之中主氣管故以內候之左外以
候心內以候膻中心主鬲中也膻中則氣海也嗌也○新校正云詳王氏以
膻中為嗌也疑誤前以候前後以候後上前謂左寸口下前謂胷之前
膺及氣海也上後謂左寸口下後謂胷之後背及氣管也上竟上者胷喉中
事也下竟下者少腹腰股膝脛足中事也上竟上至

魚際也下竟下謂尺尺之脉動處也少腹膀胱氣海在膀胱腰股膝脛足中之氣動靜皆分其近遠及連接處所各目以候之知其善惡也麤大者陰不足陽有餘為熱中也麤大謂脉洪大也脉洪為熱熱故曰熱中來疾去徐上實下虛為厥巔疾來徐去疾上虛下實為惡風也亦脉狀也故中惡風者陽氣受也以上虛故陽氣受也有脉俱沈細數者少陰厥也尺中之有脉沈細數者是腎少陰氣逆也何者尺脉不當見數有數故言厥也俱沈細數者言左右尺中也沈細數散者寒熱也陽下於陰陰氣不足故寒熱也正理論曰數為陽浮而散者為眴仆脉浮為虛散為不足氣虛而血不足故為頭眩而仆倒也眴音順諸浮不躁者皆在陽則為熱其有躁者在手言大法也但浮不躁也病在足陽脉之中

躁者病在手陽脉之中也故又曰其有躁者在手也陽爲火氣故爲熱諸細而沉者皆在陰則爲骨痛其有靜者在足細沉而躁則病生於手陰脉之中靜者病生於足陰脉之中也故又曰其有靜者在足也陰主骨故骨痛數動一代者病在陽之脉也洩及便膿血代止也數動一代是陽氣之生病故云病在陽之脉所以然者以洩利及膿血脉乃爾諸過者切之濇者陽氣有餘也滑者陰氣有餘也陽有餘則血少故脉濇陰有餘則氣多故脉滑也○新校正云詳氣多疑誤當是血多也陽氣有餘爲身熱無汗陰氣有餘爲多汗身寒血少氣多斯可知也陰陽有餘則無汗而寒陽餘無汗陰餘身寒若陰陽有餘則當無汗而寒也推而外之內而不外有心腹積也脉附脊筋取之不審推筋

令遠使脉外行内而不出外者心腹中有積乃爾推而内之外而不内身有熱也脉遠臂筋推之令近遠而不近是陽氣有餘故身有熱也推而上之上而不下腰足清也推筋按之尋之而上脉上涌盛是陽氣有餘故腰足冷也。新校正云按甲乙經上而不下作下而不上推而下之下而不上頭項痛也推筋按之尋之而下脉沈下掣是陽氣有餘故頭項痛也。新校正云按甲乙經下而不上作上而不下按之至骨脉氣少者腰脊痛而身有痺也陰氣大過故尒

○平人氣象論篇第十八新校正云按全元起本在第一卷

黄帝問曰平人何如平人謂氣候平調之人也岐伯對曰人一呼脉再動一吸脉亦再動呼吸定息脉五動

閏以太息命曰平人平人者不病也經脉一周於身凡長十六丈二尺呼吸脉各再動定息脉又一動則五動也計二百七十定息氣可環周然盡五十營以一萬三千五百定息則氣都行八百一十丈如是則應天常度脉氣無不及太過氣象平調故曰平人常以不病調病人醫不病故爲病人平息以調之爲法人一呼脉一動一吸脉一動曰少氣呼吸脉各一動準候減平人之半計二百七十定息氣行八丈一尺以一萬三千五百定息氣都行四百五丈少氣之理從此可知人一呼脉三動一吸脉三動而躁尺熱曰病溫尺不熱脉滑曰病風脉濇曰痺呼吸脉各三動準過平人之半計二百七十息氣凢行二十四丈三尺病生之兆由然著矣夫尺者陰分位也寸者陽分位也然陰陽俱熱是則爲溫陽獨躁盛則風中陽也

脉要精微論曰中惡風者陽氣受也滑為陽盛故病為風濇為無血故為瘖痺也躁謂煩躁○新校正云按甲乙經無無脉濇曰痺一句下文亦重 人一呼脉四動以上曰死脉絕不至曰死乍踈乍數曰死呼吸脉各四動準候過平人之倍計二百七十息氣凡行三十二丈四尺況其以上耶脉法曰脉四至曰脫精五至曰死然四至以上亦近五至也故死矣然脉絕不至天真之氣已無乍數乍踈胃穀之精亦斷此皆死之候是以下文曰○新校正云按別本斷一作敗 平人之常氣稟於胃胃者平人之常氣也常平之氣胃海致之靈樞經曰胃為水穀之海也正理論曰穀入於胃脉道乃行 人無胃氣曰逆逆者死逆謂反平人之候也○新校正云按甲乙經云人常稟氣於胃脉以胃氣為本無胃氣曰逆逆者死 春胃微弦曰平言微似弦不謂微而弦也鉉反要疑毛不有義亦同 弦多胃

曰肝病但弦無胃曰死謂急而益勁如新張弓弦也胃而有
毛曰秋病毛秋脉金氣也毛甚曰今病木受金邪故今病藏真散
於肝肝藏筋膜之氣也象陽氣之散發故藏真散也藏氣法時論曰肝
欲散急食辛以散之取其順氣夏胃微鉤曰平鉤多胃少曰
心病但鉤無胃曰死謂前曲後居如操帶鉤也胃而有石曰
冬病石冬脉水氣也石甚曰今病火被水侵故今病藏真通於
心心藏血脉之氣也象陽氣之炎盛也藏氣法時論曰心欲耎食鹹以耎
之取其順氣長夏胃微耎弱曰平弱多胃少曰脾病
但代無胃曰死謂動而中止不能自還也耎弱有石曰冬病
石冬脉水氣也次其勝剋石當爲弦長夏土絕故云石也弱甚曰今病弱甚爲土

氣不足故令病○新校正云按甲乙經弱作石藏真濡於脾脾藏肌肉之氣也以含藏水穀故藏真濡也秋胃微毛曰平毛多胃少曰肺病但毛無胃曰死謂如物之浮如風吹毛也毛而有弦曰春病弦春脉木氣也次其乘剋弦當爲鈎金氣遍肝則脉弦來見故不鈎而反弦也弦甚曰今病木氣逆來乘金則今病藏真高於肺以行榮衛陰陽也肺處上焦故藏真高也靈樞經曰榮氣之道內穀爲實穀入於胃氣傳與肺流溢於中布散於外精專者行於經隧以其自肺宣布故云以行榮衛陰陽也○新校正云按別本實一作寶冬胃微石曰平石多胃少曰腎病但石無胃曰死謂如奪索辟辟如彈石也石而有鈎曰夏病鈎夏脉火兼土氣也次其乘剋鈎當云弱土王長夏不見正形故石而有鈎兼其土也鈎甚

曰今病水受火土之邪故云今病藏真下於腎腎藏骨髓之氣也腎居下焦故云藏真下也腎化骨髓故藏骨髓之氣也胃之大絡名曰虛里貫鬲絡肺出於左乳下其動應衣脉宗氣也宗尊也主也謂十二經脉之尊主也貫鬲絡肺出於左乳下者自鬲而出於乳下乃絡肺也盛喘數絶者則病在中絶謂暫斷絶也結而橫有積矣絶不至曰死皆左乳下脉動狀也中謂腹中也乳之下其動應衣宗氣泄也泄謂發泄○新校正云按全元起本無此十一字甲乙經亦無詳上下文義多此十一字當去欲知寸口大過與不及寸口之脉中手短者曰頭痛寸口脉中手長者曰足脛痛短爲陽氣不及故病於頭長爲陰氣大過故病於足寸口脉中手促

上擊者曰肩背痛陽盛於上故肩背痛寸口脉沈而堅者曰病在中寸口脉浮而盛者曰病在外沈堅爲陰故病在中浮盛爲陽故病在外也寸口脉沈而弱曰寒熱及疝瘕少腹痛沈爲寒弱爲熱故曰寒熱也又沈爲陰盛弱爲陽餘餘盛相薄正當寒熱不當爲疝瘕而少腹痛應古之錯簡爾○新校正云按甲乙經無此十五字況下文已有寸口脉沈而喘曰寒熱脉急者曰疝瘕少腹痛此文衍當去寸口脉沈而横曰脇下有積腹中有横積痛亦陰氣內結也寸口脉沈而喘曰寒熱喘爲陽吸沈爲陰爭爭吸相薄故寒熱也脉盛滑堅者曰病在外脉小實而堅者病在內盛滑爲陽小實爲陰陰病病在內陽病病在外脉小弱以濇謂之久病小爲氣虛濇爲無血血氣虛弱故云

久遠之病也。脉滑浮而疾者，謂之新病。滑浮為陽足，脉疾為氣全，陽足氣全，故云新淺之病也。脉急者曰疝瘕少腹痛。此寒痛血淺少腹痛之脉也。言洗弱不必為疝瘕，沈急乃與診相應。脉滑曰風，脉濇曰痺。滑為陽，陽受病則為風。濇為陰，陰受病則為痺。緩而滑曰熱中，盛而緊曰脹。緩謂縱緩之狀，非動之遲緩也。陽盛於中，故脉滑緩。寒氣否滿，故脉盛緊也。盛緊，盛滿也。脉從陰陽病易已，脉逆陰陽病難已。脉病相應謂之從，脉病相反謂之逆。脉得四時之順曰病無他，脉反四時及不間藏曰難已。春得秋脉，夏得冬脉，秋得夏脉，冬得四季脉，皆謂反四時，氣不相應，故難已也。臂多青脉曰脫血。血少脉空，客寒因入，寒凝血汁，故脉色青也。尺脉緩濇謂之解㑊。尺為陰部，腹腎主之。緩為熱中，濇為无血。

熱而無血故解㑊而不可名之然寒不寒熱不熱弱不弱壯不壯㑊不可名謂之解㑊也脉要精微論曰尺外以候腎尺裏以候腹中則腹背主尺之義也寧音能困弱也安臥脉盛謂之脫血臥久傷氣氣傷則脉診應微今脉盛而不微則血去而氣無所主乃尔盛謂數急而大鼓也尺濇脉滑謂之多汗謂尺膚濇而尺脉滑也膚濇者榮血內涸脉滑為陽氣內餘血涸而陽氣尚餘多汗而脉乃如是也尺寒脉細謂之後泄尺主下焦診應陽衰故膚寒脉細世利乃然脉法曰陰微即下言尺氣虛少脉尺麤常熱者謂之熱中謂下焦中也肝見庚辛死庚辛為金伐肝木也心見壬癸死壬癸為水滅心火也脾見甲乙死甲乙為木尅脾土也肺見丙丁死丙丁為火鑠肺金也腎見戊己死戊己為土刑腎水也是謂真藏見皆死此亦通明三部九候論中真藏

脉見者勝死也尺癰而藏見亦然頸脉動喘疾欬曰水水氣上溢則肺被熱熏陽氣上逆故頸脉盛鼓而欬喘也頸脉謂耳下及結喉傍人迎脉也目裹微腫如卧蠶起之狀曰水評熱病論曰水者陰也目下亦陰也腹者至陰之所居也故水在腹中者必使目下腫也溺黄赤安卧者黄疸疸勞也腎勞胞熱故溺黄赤也正理論曰謂之勞癉以女勞得之也○新校正云詳王注以疸爲勞義非若謂女勞得疸則可若以疸爲勞則非也已食如飢者胃疸是則胃熱也熱則消穀故食已如飢也面腫曰風加之面腫則胃風之診也何者胃陽明脉起於鼻交頞中下循鼻外故尔足脛腫曰水是謂下焦有水也腎少陰脉出於足心上循脛過陰股從腎上貫肝鬲故下焦有水足脛腫也目黄者曰黄疸陽拂於上熱積胃中陽熱上燔故目黄也靈樞經曰目黄者病在胃婦人手少陰新校正云

按全元起本作足少陰脈動甚者任子也手少陰脈謂掌後陷者中當小指動而應手者也靈樞經曰少陰無輸心不病乎歧伯曰其外經病而藏不病故獨取其經於掌後銳骨之端此之謂也動謂動脈也動脈者大如豆厥厥動搖也正理論曰脈陰陽相薄名曰動也又經脈別論曰陰薄陽別謂之有子○新校正云按經脈別論中無此文脈有逆從四時未有藏形春夏而脈瘦新校正云按玉機真藏論瘦作沈濇秋冬而脈浮大命曰逆四時也春夏脈瘦謂沈細也秋冬浮大不應時也大法春夏當浮大而反沈細秋冬當沈細而反浮大故曰不應時也風新校正云按玉機真藏論風作病熱而脈靜泄而脫血脈實新校正云按玉機真藏論篇注作泄而脈大脫血而脈實病在中脈虛病在外新校正云按玉機真藏論作脈實堅病在外脈濇堅者新校正云按玉機真藏論

泳脈不實堅者皆難治風熱當脈躁而反靜泄而脫血當脈虛而反實邪氣在內當脈
實而反虛病氣在外當脈虛滑而反堅濇故皆難治也命曰反四時也皆反
四時之氣乃如是矣○新校正云詳命曰反四時也此六字應古錯簡當去自前未有藏形春
夏至此五十三字與後玉機真藏論文相重人以水穀為本故人絕
水穀則死脈無胃氣亦死所謂無胃氣者但得
真藏脈不得胃氣也所謂脈不得胃氣者肝不
弦腎不石也不弦不石皆謂不微似也太陽脈至洪大以長
氣盛故能尔○新校正云按扁鵲陰陽脈法云太陽之脈洪大以長其來浮於筋上動搖九分
三月四月甲子王呂廣云太陽王五月六月其氣大盛故其脈洪大而長也少陽脈至乍
數乍疎乍短乍長以氣有暢未暢者也○新校正云按扁鵲陰陽法云少陽

之脉乍小乍大乍長乍短動揺六分王十一月甲子夜半正月二月甲子王呂廣云少陽王正月二月其氣尚微故其脉來進退無常陽明脉至浮大而短穀氣滿盛故也○新校正云詳無三陰脉應古文闕也按難經云太陰之至緊大而長少陰之至緊細而微厥陰之至沈短以敦呂廣云陽明王三月四月其氣始萌未盛故其脉來浮大而短扁鵲陰陽脉法云少陰之脉緊細動揺六分王五月甲子日中七月八月王太陰之脉緊細以長乘於筋上動揺九分九月十月甲子王厥陰之脉沈短以緊動揺三分十一月十二月甲子王也夫平心脉來累累如連珠如循琅玕曰心平言脉滿而盛微似珠形之中手琅玕珠之類也夏以胃氣為本脉有胃氣則累累而微以連珠也病心脉來喘喘連屬其中微曲曰心病曲謂中手而偃曲也○新校正云詳越人云啄啄連屬其中微曲曰腎病與素問異死心

脉來前曲後居如操帶鈎曰心死居不動也操執持也鈎謂革帶之鈎

平肺脉來厭厭聶聶如落榆莢曰肺平浮薄而虛者也○新校正云詳越人云厭厭聶聶如循榆莢曰春平脉藹藹如車蓋按之益大曰秋平脉與素問之說不同張仲景云秋脉藹藹如車蓋者名曰陽結春脉聶聶如吹榆莢者名曰數恐越人之說誤也秋以胃氣爲本脉有胃氣則微似榆莢之輕虛也

病肺脉來不止不下如循雞羽曰肺病謂中央堅而兩傍虛

死肺脉來如物之浮如風吹毛曰肺死如物之浮瞥瞥然如風吹毛紛紛然也○新校正云詳越人云按之消索如風吹毛曰死

平肝脉來耎弱招招如揭長竿末梢曰肝平如竿末梢言長耎也春以胃氣爲本脉有胃氣乃長耎如竿之末梢矣

病肝脉來盈實

而滑如循長竿曰肝病[長而不耎故若循竿]死肝脈來急益勁如新張弓弦曰肝死[勁謂勁強急之甚也]平脾脈來和柔相離如雞踐地曰脾平[言脈來動數相離緩急和而調]長夏以胃氣為本[胃少則脈實數]病脾脈來實而盈數如雞舉足曰脾病[胃少故脈實急矣舉足謂如雞走之舉足也○新校正云詳越人以為心病]死脾脈來銳堅如烏之喙[新校正云按千金方作如雞之喙也]如烏之距如屋之漏如水之流曰脾死[烏喙烏距言銳堅也水流屋漏言其至也水流謂平至不鼓屋漏謂時動復住]平腎脈來喘喘累累如鉤按之而堅曰腎平[謂如心脈而鉤按之小堅尔○新校正云按越人云其來上大下兌濡滑如雀之喙曰平呂廣云上大者足太陽下兌者

是少陰陰陽得所爲胃氣強故謂之平雀啄者本大而末兌也冬以胃氣爲本胃少則不安亦堅也病腎脉來如引葛按之益堅曰腎病形如引葛言不按且堅明按之則尤甚也死腎脉來發如奪索辟辟如彈石曰腎死發如奪索猶蛇之走辟辟如彈石言促又堅也

新刊黃帝內經素問卷第五

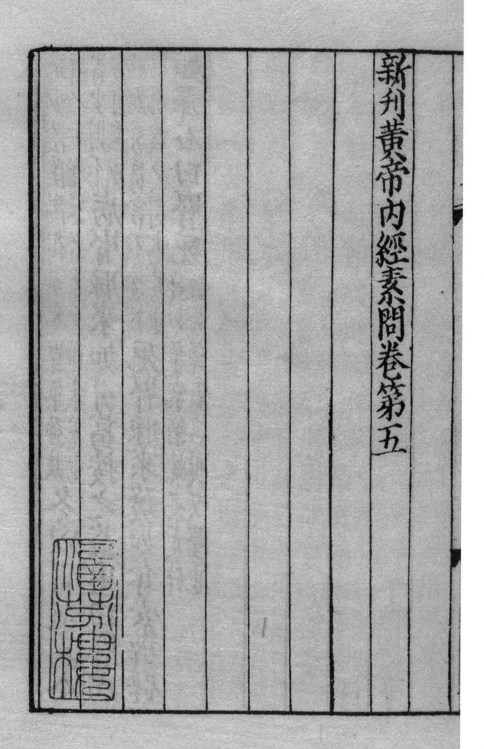

新刊黄帝内經素問卷第六

啓玄子次註林億孫奇高保衡等奉敕校正孫兆重改誤

玉機眞藏論　三部九候論

○玉機眞藏論篇第十九 新校正云按全元起本在第六卷

黄帝問曰春脉如弦何如而弦岐伯對曰春脉者肝也東方木也萬物之所以始生也故其氣來耎弱輕虛而滑端直以長故曰弦言端直而長狀如弦也○新校正云按越人云春脉弦者東方木也万物始生未有枝葉故其脉來濡弱而長四時經輕作寬反此者病反謂反常平之候帝曰何如而反岐伯曰其氣來實而強此謂太過病在外其氣來不

實而微，此謂不及，病在中。（氣餘則病形於外，氣少則病在於中也。○新校正云：按呂廣云：實強者陽氣盛也，少陽當微弱，今更實強，謂之大過，陽處表，故令病在外。厥陰之氣養於筋，其脉弦，今更虛微，故曰不及，陰處中，故令病在內。）帝曰：春脉太過與不及，其病皆何如？岐伯曰：太過則令人善忘，忽忽眩冒而巔疾；其不及則令人胸痛引背，下則兩脇胠滿。（忽忽，不爽也。眩，謂目眩，視如轉也。冒，謂冒悶也。胠，謂腋下脇也。忘當爲怒字之誤也。靈樞經曰：肝氣實則怒。肝厥陰脉自足而上入毛中，又上貫鬲，布脇肋，循喉嚨之後，上入頏顙，上出額，與督脉會於巔，故病如是。○新校正云：按氣交變大論云：木大過，甚則忽忽善怒，眩冒巔疾。則忘當作怒。）帝曰：善。夏脉如鈎，何如而鈎？岐伯曰：夏脉者心也，南方火也，萬物之所以盛長也故其氣來盛去衰故曰鈎言其脉來盛去衰如鈎之曲也○新校正云按越人云夏脉鈎者南方火也万物之所盛垂枝布葉皆下曲如鈎故其脉來疾去遲呂廣云陽盛故來疾陰虚故去遲脉從下上至寸口疾還尺中遲也反此者病帝曰何如而反岐伯曰其氣來盛去亦盛此謂大過病在外其脉來盛去盛是陽之盛也心氣有餘是爲大過其氣來不盛去反盛此謂不及病在中新校正云詳越人云肝心肺腎四藏脉俱以強實爲大過虚微爲不及与素問不同帝曰夏脉大過與不及其病皆何如岐伯曰大過則令人身熱而膚痛爲浸淫其不及則令人煩心上見欬唾下爲氣泄心少陰脉起於心中出屬心系下鬲絡小腸又從心系却上肺故心大過則身熱膚

痛而浸淫流布於形分不及則心煩上見欬唾下為氣泄帝曰善秋脉如浮何如而浮岐伯曰秋脉者肺也西方金也萬物之所以收成也故其氣來輕虛以浮來急去散故曰浮脉來輕虛故名浮也來急以陽未沉下去散以陰氣上升也○新校正云按越人云秋脉毛者西方金也万物之所終草木華葉皆秋而落其枝獨在若毫毛也故其脉來輕虛以浮故曰毛反此者病帝曰何如而反岐伯曰其氣來毛而中央堅兩傍虛此謂太過病在外其氣來毛而微此謂不及病在中帝曰秋脉太過與不及其病皆何如岐伯曰太過則令人逆氣而背痛慍慍然其不及則令人喘呼吸少氣而欬

上氣見血下聞病音肺太陰脈起於中焦下絡大腸還循胃口上鬲屬肺從肺系橫出腋下復藏氣爲欬主喘息故氣盛則肩背痛氣逆不足則喘息變易呼吸少氣而欬上氣見血也下聞病音謂喘息則肺中有声也帝曰善冬脈如營何如而營脈沉而深如營動也○新校正云詳深一作濡又作搏按本經下文云其氣來沉以搏則深深當爲搏又按甲乙經搏字爲濡當從甲乙經爲得何以言之脈沉而濡濡古軟字乃冬脈之平調脈若沉而搏擊於手則冬脈之大過脈也故言當從甲乙經濡字岐伯曰冬脈者腎也北方水也萬物之所以合藏也故其氣來沉以搏故曰營言沉而搏擊於手也○新校正云按甲乙經搏當作濡義如前說又越人云冬脈石者北方之水也万物之所藏盛冬之時水凝如石故其脈來沉濡而滑故曰石也反此者病帝曰何如而反岐伯

曰其氣來如彈石者此謂大過病在外其去如數者此謂不及病在中帝曰冬脉大過與不及其病皆何如岐伯曰大過則令人解㑊新校正云按解㑊之義具第五卷注脊脉痛而少氣不欲言其不及則令人心懸如病飢䏚中清脊中痛少腹滿小便變腎少陰脉自股內後廉貫脊屬腎絡膀胱其直行者從腎上貫肝鬲入肺中循喉嚨俠舌本其支別者從肺出絡心注胸中故病如是也䏚者季脇之下俠脊兩傍空軟處也腎外當䏚故䏚中清冷也帝曰善帝曰四時之序逆從之變異也脉春弦夏鉤秋浮冬營為逆順之變見異狀也然脾脉獨何主主謂主時月岐伯曰脾脉者土也孤藏以灌四傍者也納水穀化津液

溉灌於肝心肺腎也以不正主四時故謂之孤藏溉古代切帝曰然則脾善惡可得見之乎岐伯曰善者不可得見惡者可見不正主時寄王於四季故善不可見惡可見也帝曰惡者何如可見岐伯曰其來如水之流者此謂太過病在外如鳥之喙者此謂不及病在中新校正云按平人氣象論云如鳥之喙又別本喙作啄帝曰夫子言脾爲孤藏中央土以灌四傍其太過與不及其病皆何如岐伯曰太過則令人四支不舉以主四支故病不舉其不及則令人九竅不通名曰重強脾之孤藏以灌四傍今病則五藏不和故九竅不通也八十一難經曰五藏不和則九竅不通重謂藏氣重疊強謂氣不和順帝瞿然而起

再拜而稽首曰善吾得脉之大要天下至數五色脉變揆度奇恒道在於一瞿然恇貌也言以大過不及而一貫之揆度奇恒皆通也神轉不廻廻則不轉乃失其機五氣循環不愆時叙是爲神氣流轉不廻若却行衰王反天之常氣是則却廻而不轉由是却廻不轉乃失生氣之機矣至數之要迫近以微將至數之要道則應用切近以微妙也湏切也著之玉版藏之藏府每旦讀之名曰玉機著之玉版故以爲名言是玉版生氣之機○新校正云詳至數至名曰玉機與前玉版論要文相重彼注頗詳五藏受氣於其所生傳之於其所勝氣舍於其所生死於其所不勝病之且死必先傳行至其所不勝病乃死受氣所生者謂受病氣於己之所生者也傳所

勝者謂傳於己之所剋者也氣舍所生者謂舍於生己者也死所不勝者謂死於剋己者之分位也所謂不順故必死焉此言氣之逆行也故死所爲逆者次如下說肝受氣於心傳之於脾氣舍於腎至肺而死心受氣於脾傳之於肺氣舍於肝至腎而死脾受氣於肺傳之於腎氣舍於心至肝而死肺受氣於腎傳之於肝氣舍於脾至心而死腎受氣於肝傳之於心氣舍於肺至脾而死此皆逆死也一日一夜五分之此所以占死生之早暮也肝死於肺位秋庚辛餘四倣此然朝主甲乙晝主丙丁四季上主戊己晡主庚辛夜主壬癸由此則死生之早暮可知也○新校正云按甲乙經生作者字云占死者之早暮詳此經文專爲言氣

之逆行也故死即不言生之早暮王氏改者作生義不若甲乙經中素問本文黃帝曰五藏相通移皆有次五藏有病則各傳其所勝以上文逆傳而死故言是逆傳所勝之次也○新校正云詳逆傳所勝之次逆當作順上文旣言逆傳下文所言乃順傳之次也不治法三月若六月若三日若六日傳五藏而當死是順傳所勝之次三月者謂一藏氣之遷移六月者謂至其所勝之位三日者三陽之數以合日也六日者謂兼三陰以數之爾熱論曰傷寒一日巨陽受二日陽明受三日少陽受四日太陰受五日少陰受六日厥陰受則其義也○新校正云詳上文是順傳所勝之次七字乃是次前注誤在此經文之下不推無義兼校之全元起本素問及甲乙經並無此七字直去之慮未達者致疑今存于注故曰別於陽者知病從來別於陰者知死生之期

主辯三陰三陽之候則知中風邪氣之所不勝矣故下曰○新校正云詳舊既叚註寫作經今故爲註又按陰陽別論云別於陽者知病處也別於陰者知死生之期又云別於陽者知病忌時別於陰者知死生之期義同此言知至其所困而死困謂至所不勝也上文曰死於其所不勝是故風者百病之長也言先百病而有之○新校正云按生氣通天論云風者百病之始今風寒客於人使人毫毛畢直皮膚閉而爲熱客謂客止於人形也風擊皮膚寒勝腠理故毫毛畢直玄府閉密而熱生也當是之時可汗而發也邪在皮毛故可汗泄也陰陽應象大論曰善治者治皮毛此之謂也或痺不仁腫痛病生而變故知是也熱中血氣則痺不仁寒氣傷形故爲腫痛陰陽應象大論云寒傷形熱傷氣氣傷痛形傷腫當是之時可湯熨及火灸刺而去之皆謂釋散

寒邪宣揚正氣弗治病入舍於肺名曰肺痺發欬上氣邪入諸陰則病而爲痺故入於肺名曰痺焉宣明五氣論曰邪入於陽則狂邪入於陰則痺肺在變動爲欬故欬則氣上故上氣也弗治肺即傳而行之肝病名曰肝痺一名曰厥脇痛出食肺金伐木氣下入肝故曰弗治行之肝也肝氣通膽膽善爲怒怒者氣逆故一名厥也肝厥陰脉從少腹屬肝絡膽上貫鬲布脇肋循喉嚨之後上入頏顙故脇痛而食入腹則出故曰出食當是之時可按若刺耳弗治肝傳之脾病名曰脾風發癉腹中熱煩心出黃肝氣應風木勝脾土土受風氣故曰脾風蓋爲風氣通肝而爲名也之爲病善發黃癉故發癉也脾太陰脉入腹屬脾絡胃上鬲俠咽連舌本散舌下其支別者復從胃別上鬲注心中故腹中熱而煩心出黃色於便寫之所也當此之時可按

可藥可浴弗治脾傳之腎病名曰疝瘕少腹冤熱而痛出白一名曰蠱腎少陰脈自股內後廉貫脊屬腎絡膀胱故少腹冤熱而痛溲出白液也冤熱內結消鑠脂肉如蟲之食日內損削故一名曰蠱當此之時可按可藥弗治腎傳之心病筋脈相引而急病名曰瘛腎不足則水不生水不生則筋燥急故相引也陰氣內弱陽氣外燔筋脈受熱而自跳掣故名曰瘛當此之時可灸可藥弗治滿十日法當死至心而氣極則如是矣若復傳行當如下說腎因傳之心心即復反傳而行之肺發寒熱法當三歲死因腎傳心心不受病即而復反傳與肺金肺已再傷故寒熱也三歲者肺至腎一歲腎至肝一歲肝至心一歲火又乘肺故云三歲死此病之次也謂傳勝之次第然其卒

發者不必以於傳不必依傳之次故不必以傳治之或其傳化
有不以次不以次入者憂恐悲喜怒令不得以
其次故令人有大病矣憂恐悲喜怒發无常分觸遇則發故令病氣亦
不次而生因而喜大虛則腎氣乘矣喜則心氣移於肺心氣不守故
腎氣乘矣宣明五氣篇曰精氣并於心則喜怒則肝氣乘矣怒則氣逆故肝
氣乘脾悲則肺氣乘矣悲則肺氣移於肝肝氣受邪故肺氣乘矣宣明五氣
篇曰精氣并於肺則悲恐則脾氣乘矣恐則腎氣移於心腎氣不守故脾氣
乘矣宣明五氣篇曰精氣并於腎則恐憂則心氣乘矣憂則肝氣移於脾肝
氣不守故心氣乘矣宣明五氣篇曰精氣并於肝則憂此其道也此其不次之常
道故病有五五五五二十五變及其傳化五藏相并而各

五之五五而乘之則二十五五變也然其變化以勝相傳等而不次變化多端。新校正云按陰陽別論云凡陽有五五五二十五陽義與此通

傳乘之名也

言傳者何相乘之異名尔

大骨枯槁大肉陷下胸中氣滿喘息不便其氣動形期六月死真藏脈見乃予之期日

皮膚乾著骨間肉陷謂大骨枯槁大肉陷下也諸附骨際及空窳處亦同其類也胸中氣滿喘息不便是肺無主也肺司治節氣息由之其氣動形為無氣相接故聳舉肩背以遠求報氣矣夫如是皆形藏已敗神藏亦傷見是證者期後一百八十日內死矣候見真藏之脈乃與死日之期爾亦真藏脈診下經備矣此肺之藏也窳音愈

大骨枯槁大肉陷下胸中氣滿喘息不便內痛引肩項期一月死真藏見乃予之期日

火精外出陽氣上燔金受火災故內痛肩項如是者期後三十日內

死洪心之藏也大骨枯槀大肉陷下胷中氣滿喘息不便內痛引肩項身熱脫肉破䐃真藏見十月之內死陰氣微弱陽氣內燔故身熱也䐃者肉之標䐃主肉故肉如脫盡䐃如傶敗也見斯證者期後三百日內死䐃謂肘膝後肉如塊者也䐃之藏也䐃渠殞切大骨枯槀大肉陷下肩髓內消動作益衰真藏來見期一歲死見其真藏乃予之期日肩髓內消謂缺盆深也衰於動作謂交接漸微以餘藏尚全故期後三百六十五日內死此腎之藏也○新校正云按全元起本及甲乙經真藏來見作未見來當作未字之誤也大骨枯槀大肉陷下胷中氣滿腹內痛心中不便肩項身熱破䐃脫肉目匡陷真藏見目不見人立死其見人者至其

所不勝之時則死木生其火肝氣通心脉抵少腹上布脇肋循喉嚨之後上入頏顙故腹痛心中不便肩項身熱破䐃脫肉也肝主目故目匡陷及不見人立死也不勝之時謂於庚辛之月此肝之藏也急虛身中卒至五藏絕閉脉道不通氣不往來譬於墮溺不可為期言五藏相移傳其不勝則可待真藏脉見乃與死日之期卒急虛邪中於身内則五藏絕閉脉道不通氣不往來譬於墮墜沒溺不可與為死日之期也其脉絕不來若人一息五六至其形肉不脫真藏雖不見猶死也是則急虛卒至之脉○新校正云按人一息脉五六至何得為死必息字誤息當作呼乃是真肝脉至中外急如循刀刃責責然如按琴瑟弦色青白不澤毛折乃死真心脉至堅而搏如循薏苡子

累累然色赤黑不澤毛折乃死眞肺脉至大而虛如以毛羽中人膚色白赤不澤毛折乃死眞腎脉至搏而絶如指彈石辟辟然色黑黃不澤毛折乃死眞脾脉至弱而乍數乍踈色黄青不澤毛折乃死諸眞藏脉見皆死不治也新校正云按楊上善云無餘物和雜故名眞也五藏之氣皆胃氣和之不得獨用如至剛不得獨用獨用則折和柔用之即固也五藏之氣和於胃氣即得長生若眞獨見必死欲知五藏眞見爲死和胃爲生者於寸口診即可知見者如弦是肝脉也微弦爲平和微弦謂二分胃氣一分弦氣俱動爲微弦三分並是弦而無胃氣爲見眞藏餘四藏準此黃帝曰見眞藏曰死何也岐伯曰五藏者皆稟氣於胃胃者五藏之

本也胃為水穀之海故五藏稟焉藏氣者不能自致於手太
陰必因於胃氣乃至於手太陰也平人之常稟氣於胃胃氣
者平人之常氣故藏氣因胃乃能至於手太陰也○新校正云詳平人之常至下平人之常氣
本平人氣象論文王氏引注此經按甲乙經云人常稟氣於胃脉以胃氣為本與此小異然甲
乙之義為得故五藏各以其時自為而至於手太陰
也自為其勢至於手太陰也故邪氣勝者精氣衰也故病甚
者胃氣不能與之俱至於手太陰故真藏之氣
獨見獨見者病勝藏也故曰死是所謂無胃氣也平人氣象
論曰人無胃氣曰逆逆者死帝曰善新校正云詳自黃帝問至此一段全元起本在
第四卷太陰陽明表裏篇中王氏移於此處必言此者欲明王氏之功於素問多矣黃帝

曰凡治病察其形氣色澤脉之盛衰病之新故乃治之無後其時欲必先時而取之形氣相得謂之可治氣盛形盛氣虚形虚是相得也色澤以浮謂之易已氣色浮潤血氣相營故易已脉從四時謂之可治脉春弦夏鈎秋浮冬營謂順四時從順也脉弱以滑是有胃氣命曰易治取之以時候可取之時而取之則万舉万全當以四時血氣所在而爲療尔○新校正云詳取之以時甲乙經作治之趨之無後其時與王氏之義兩通形氣相失謂之難治形盛氣虚氣盛形虚皆相失也色夭不澤謂之難已夭謂不明而惡不澤謂枯燥也脉實以堅謂之益甚脉實以堅是邪氣盛故益甚也脉逆四時爲不可治以氣逆故矣上四句是謂四難所以下文曰必察四難而

明告之此四粗之所易語工之所難爲所謂逆四時者春得肺脉夏得腎脉秋得心脉冬得脾脉其至皆懸絶沉濇者命曰逆四時春得肺脉秋來見也夏得腎脉冬來見也秋得心脉夏來見也冬得脾脉上來見也懸絶謂如懸物之絶去也未有藏形於春夏而脉沉濇新校正云按平人氣象論云而脉瘦義與此同秋冬而脉浮大名曰逆四時也未有謂未有藏脉之形狀也病熱脉静泄而脉大脱血而脉實病在中脉實堅病在外脉不實堅者皆難治也皆難治者以其與證不相應也○新校正云按平人氣象論云病在中脉虚病在外脉濇堅與此相反此經誤彼論爲得自未有藏形春夏至此與平人氣象論相重注義備於彼黄帝曰余聞虚實以决死生願聞

其情岐伯曰五實死五虛死五實謂五藏之實五虛謂五藏之虛帝曰願聞五實五虛岐伯曰脉盛皮熱腹脹前後不通悶瞀此謂五實實謂邪氣盛實然脉盛心也皮熱肺也腹脹脾也前後不通腎也悶瞀肝也瞀莫候切脉細皮寒氣少泄利前後飲食不入此謂五虛虛謂真氣不足也然脉細心也皮寒肺也氣少肝也泄利前後腎也飲食不入脾也帝曰其時有生者何也岐伯曰漿粥入胃泄注止則虛者活身汗得後利則實者活此其候也全注飲粥得入於胃胃氣和調其利漸止胃氣得實虛者得活言實者得汗外通後得便利自然調平

○三部九候論篇第二十

（新校正云按全元起本在第一卷篇名决死生）

黄帝問曰余聞九鍼於夫子衆多博大不可勝數余願聞要道以屬子孫傳之後世著之骨髓藏之肝肺歃血而受不敢妄泄（歃血歃血也歃所甲切）令合天道（新校正云按全元起本云令合天地）必有終始上應天光星辰曆紀下副四時五行貴賤更立冬陰夏陽以人應之柰何願聞其方（天光謂日月星也曆紀謂日月行曆於天二十八宿三百六十五度之分紀也言以人形血氣榮衛周流合時候之遷移應日月之行道然斗極旋運黄赤道差冬時日依黄道近南故陰多夏時月依黄道近北故陽盛也夫四時五行之氣以王者爲貴相者爲賤也）岐伯對曰妙乎哉問也此天

地之至數道貫精微故云妙明至數謂至極之數也帝曰願聞天地之至數合於人形血氣通決死生爲之奈何岐伯曰天地之至數始於一終於九焉九奇數也故天地之數斯爲極矣一者天二者地三者人因而三之三三者九以應九野爾雅曰邑外爲郊郊外爲甸甸外爲牧牧外爲林林外爲坰坰外爲野言其遠也○新校正云詳王引爾雅爲說與今爾雅或不同已具前六節藏象論注中坰古螢切故人有三部部有三候以決死生以處百病以調虛實而除邪疾所謂三部者言身之上中下部非謂寸關尺也三部之內經隧由之故察候存亡悉因於是鍼之補寫邪疾可除也帝曰何謂三部岐伯曰有下部有中部有上部部各有三候

三候者有天有地有人也必指而導之乃以為
真言必當諮受於師也徵四失論曰受師不卒妄作雜術謬言為道更名自功妄用砭石後
遺身咎此其誡也禮曰疑事無質質成也上部天兩額之動脈在額兩傍
動應於手足少陽脈氣所行也上部地兩頰之動脈在鼻孔下兩傍近於
巨髎之分動應於手足陽明脈氣之所行上部人耳前之動脈在耳前陷
者中動應於手手少陽脈氣之所行也中部天手太陰也謂肺脈也在掌
後寸口中是謂經渠動應於手中部地手陽明也謂大腸脈也在手大指次
指歧骨間合谷之分動應於手也中部人手少陰也謂心脈也在掌後鋭
骨之端神門之分動應於手也靈樞經持鍼縱捨論問曰少陰無輸心不病乎對曰其外經病
而藏不病故獨取其經於掌後鋭骨之端正謂此也下部天足厥陰也謂肝

脈也在毛際外羊矢下一寸半陷中五里之分卧而取之動應於手也女子取大衝在足大指本節後二寸陷中是下部地足少陰也謂腎脈也在足內踝後跟骨上陷中大谿之分動應手下部人足太陰也謂脾脈也在魚腹上越筋間直五里下箕門之分寬鞏足單衣沉取乃得之而動應於手也候胃氣者當取足跗之上衝陽之分穴中脈動乃應手也○新校正云詳自上部天至此一段舊在當篇之末義不相接此正謂三部九候宜處於斯今依皇甫謐甲乙經編次例自篇末移置此故下部之天以候肝足厥陰脈行其中也地以候腎足少陰脈行其中也人以候脾胃之氣足太陰脈行其中也脾藏與胃以膜相連故以候脾兼候胃也帝曰中部之候奈何岐伯曰亦有天亦有地亦有人天以候肺手太陰脈當其處也地以候胸中之氣手陽明脈當其處也

經云腸胃同候故以候胸中也人以候心手少陰脉當其處也帝曰上部以何候之岐伯曰亦有天亦有地亦有人天以候頭角之氣位在頭角之分故以候頭角之氣也地以候口齒之氣位近口齒故以候之人以候耳目之氣以位當耳前脉抵於目外眥故以候之三部者各有天各有地各有人三而成天新校正云詳三而成天至合為九藏與六節藏象論文重注義具彼篇三而成地三而成人三而三之合則為九九分為九野九野為九藏以是故應天地之至數故神藏五形藏四合為九藏所謂神藏者肝藏魂心藏神脾藏意肺藏魄腎藏志也以其皆神氣居之故云神藏五也所謂形藏者皆如器外張虛而不屈含藏於物故云形藏也所謂形藏四者一頭角二耳

目三口齒四胷中也○新校正云詳註謬神藏宣明五氣篇文又與生氣通天論註六節藏象論註重五藏已敗其色必夭夭必死矣夭謂死色異常之候色者神之旗藏者神之舍故神去則藏敗藏敗則色見異常之候死也帝曰以候奈何岐伯曰必先度其形之肥瘦以調其氣之虛實實則寫之虛則補之度謂量也實寫虛補此所謂順天之道也老子曰天之道損有餘補不足也必先去其血脉而後調之無問其病以平爲期血脉滿堅謂邪留止故先刺去血而後乃調之不當詢問病者盛虛要以脉氣平調爲之期準尔帝曰決死生奈何度形肥瘦謂氣盛虛不問病人以平爲準死生之證以決之也岐伯曰形盛脉細少氣不足以息者危形氣相反故生氣至危玉機真藏論曰形氣相得謂之可治今

脉氣不足形盛有餘證不相扶故當危也危者言其近死由有生者也刺志論曰氣實形實氣虛形虛此其常也反此者病今脉細少氣是爲氣弱躰壯盛是爲形盛形盛氣弱故生氣傾危〇新校正云按全元起注本及甲乙經脉經危並作死字**形瘦脉大胷中多氣者死**是則形氣不足脉氣有餘故死形瘦脉太胷中氣多形藏已傷故云死也凡如是類皆形氣不相得也**形氣相得者生參伍不調者病**參謂參校伍謂類伍參校類伍而有不調謂不率其常則病也**三部九候皆相失者死**相失謂氣候不相類也相失之候診凡有七七診之狀如下文云**上下左右之脉相應如參舂者病甚上下左右相失不可數者死**三部九候上下左右凡十八診也如參舂者謂大數而鼓如參舂杵之上下也脉要精微論曰大則病進故病甚也不可數者謂一息十至已上也脉法曰人一呼脉再至一

吸脉亦再至曰平三至曰離經四至曰脱精五至曰死六至曰命盡今相失而不可數者是過十至之外也至五尚死况至十者乎中部之候雖獨調與衆藏相失者死中部之候相減者死中部左右凡六診也上部下部已不相應中部獨調固非其久減於上下是亦氣衰故皆死也減謂偏少也○新校正云詳舊云中部之候相減者死八字按全元起注本及甲乙經滌之且注有解人之說而經闕其文此脫在王注之後也目内陷者死言太陽也太陽之脉起於目内眥目内陷者太陽絶也故死所以言太陽者太陽主諸陽之氣故獨言之帝曰何以知病之所在岐伯曰察九候獨小者病獨大者病獨疾者病獨遲者病獨熱者病獨寒者病獨陷下者病相失之候診凡有七者此之謂也然脉見七診謂參伍不調隨其獨異以言其病爾以左

手足上上去踝五寸按之庶右手足當踝而彈之手足皆取之然手踝之上上手太陰脉足踝之上足太陰脉足太陰脉主肉應於下部手太陰脉主氣應於中部是以下文云藏肉身不去者死中部乍疏乍數者死○新校正按甲乙經及全元起注本並云以左手足當云踝五寸而按之右手當踝而彈之全元起注云內踝之上陰交之出通於膀胱係於腎腎為命門是以取之以明吉凶今文少一之字而多一庶字及足字王注以手足皆取為解殊為穿鑿當從全元起注舊本及甲乙經為正其應過五寸以上蠕蠕然者不病氣和故也其應疾中手渾渾然者病中手徐徐然者病渾渾亂也徐徐緩也其應上不能至五寸彈之不應者死氣絕故不應也是以脫肉身不去者死穀氣外衰則肉如脫盡天真內竭故身不能行真穀並衰故死之至矣去

循行去也中部乍踈乍數者死乍踈乍數氣之喪亂也故死其脉代而鉤者病在絡脉鉤謂夏脉又夏氣在絡故病在絡脉也絡脉受邪則經脉滯否故代止也九候之相應也上下若一不得相失上下若一言遲速小大等也一候後則病二候後則病甚三候後則病危所謂後者應不俱也俱猶同也一也察其府藏以知死生之期夫病入府則愈入藏則死故死生期準察以知之必先知經脉然後知病脉經脉四時五藏之脉真藏脉見者勝死所謂真藏脉者真肝脉至中外急如循刀刃責責然如按琴瑟絃真心脉至堅而搏如循薏苡子累累然真脾脉至弱而乍數乍踈真肺脉至大而虛如毛羽中人膚真腎脉至搏而絶如指彈石辟辟然凡此五者皆謂得真藏脉而無胃氣也平人氣象論曰胃者平人

之常氣也人無胃氣曰逆逆者死此之謂也勝死者謂勝剋於己之時則死也平人氣象論曰肝見庚辛死心見壬癸死脾見甲乙死肺見丙丁死腎見戊己死是謂勝死也足太陽氣絕者其足不可屈伸死必戴眼足太陽脈起於目內眥上額交巔上從巔入絡腦還出別下項循肩髆內俠脊抵腰中其支者復從肩髆別下貫臀過髀樞下合膕中貫腨循踵至足外側太陽之氣絕死如是矣。新校正云按診要經終論載三陽三陰脈終之證此獨犯足太陽氣絕一證餘應闕文也又注貫臀甲乙經作貫胂王氏注厥論剌瘧論各作貫胂又注剌腰論作貫臀詳甲乙流注臀當作胂帝曰冬陰夏陽奈何言死時也岐伯曰九候之脈皆沉細懸絕者為陰主冬故以夜半死盛躁喘數者為陽主夏故以日中死位無常居物極則反也乾坤之義陰極則龍戰于野陽極則亢龍有悔是

以陰陽極脈死於夜半日中也是故寒熱病者以平旦死亦物極則
變也平曉木王木氣為風故木王之時寒熱病
死生氣通天論曰因於露風乃生寒熱由此則
寒熱之病風薄所為也熱中及熱病者以日中死陽之極也病
風者以日夕死卯酉衝也病水者以夜半死水王故也其
脈乍踈乍數乍遲乍疾者日乘四季死辰戌丑未土寄
王之脾氣內絕故
日乘四季而死也形肉已脫九候雖調猶死亦謂
形氣不相得也證前脫肉身
不去者九候雖平調亦死也七診雖見九候皆
從者不死但九候順四時之令雖七診互見亦生矣從謂順從也所言不
死者風氣之病及經月之病似七診之病而非
也故言不死風病之脈診大而數月經之病脈小以微雖候與七診之狀略同而

死生之證乃異故不死也若有七診之病其脉候亦敗者死矣言雖七診見九候從者不死若病同七診之狀而脉應敗亂縱九候皆順猶不得生也必發噦噫胃精內竭神不守心故死之時發斯噦噫宣明五氣篇曰心為噫胃為噦也必審問其所始病與今之所方病審正也言必當原其始而要終也而後各切循其脉視其經絡浮沉以上下逆從循之其脉疾者不病氣強盛故其脉遲者病氣不足故脉不往來者死精神去也皮膚著者死骨乾枯也帝曰其可治者奈何岐伯曰經病者治其經求有過者孫絡病者治其孫絡血有血留止刺而去之○新校正云按甲乙經云絡病者治其絡血無二孫字血病身有痛者治其經絡靈樞經曰

經脉爲裏支而横者爲絡絡之别者爲孫絡由是孫絡則經之别支而横也○新校正云按甲乙經無血病二字其病者在奇邪奇邪之脉則繆刺之奇謂奇繆不偶之氣而與經脉繆處也由是故繆刺之繆刺者刺絡脉左取右右取左也留瘦不移節而刺之病氣淹留形容減瘦證不移易則消息節級養而刺之此又重明前經無問其病以平爲期者也上實下虛切而從之索其結絡脉刺出其血以見通之結謂血結於絡中也血去則經隧通矣前經云先去血脉而後調復明其結絡乃先去也○新校正云詳經文以見通之甲乙經作以通其氣瞳子高者太陽不足戴眼者太陽已絶此決死生之要不可不察也此復明前太陽氣欲絶及已絶之候也手指及手外踝上五指留鍼錯簡文也

六卷終

新刊黃帝内經素問卷之七

啓玄子次註林億孫奇高保衡等奉敕校正孫兆重改誤

經脉別論　藏氣法時論

宣明五氣篇　血氣形志篇

○經脉別論篇第二十一

新校正云按全元起本在第四卷

黃帝問曰人之居處動靜勇怯脉亦爲之變乎岐伯對曰凡人之驚恐恚勞動靜皆爲變也變謂變易常候是以夜行則喘出於腎腎主於夜氣合幽冥故夜行則喘息内從腎出也淫氣病肺夜行腎勞因而喘息氣淫不次則病肺也有所墮恐喘出於肝恐生於肝墮損筋血因而奔喘故出於肝也淫氣害脾

肝木妄淫害脾土也有所驚恐喘出於肺驚則心無所倚神無所歸氣亂胃中故喘出於肺也淫氣傷心驚則神越故氣淫反傷心矣度水跌仆喘出於腎與骨濕氣通腎骨腎主之故度水跌仆喘出腎骨矣跌謂足跌仆謂身倒也仆音付跌音迭當是之時勇者氣行則已怯者則著而為病也氣有強弱神有壯懦故殊狀也故曰診病之道觀人勇怯骨肉皮膚能知其情以為診法也通達性懷得其情狀乃為深識診契物宜也故飲食飽甚汗出於胃飽甚胃滿故汗出於胃也驚而奪精汗出於心驚奪心精神氣浮越陽內薄之故汗出於心也持重遠行汗出於腎骨勞氣越腎復過疲故持重遠行汗出於腎也疾走恐懼汗出於肝暴役於筋肝氣罷極故疾走恐懼汗出於肝也搖

體勞苦汗出於脾搖躰勞苦謂動作施力非疾走遠行也然動作用力則穀
精四布脾化水谷故汗出於脾也故春秋冬夏四時陰陽生病
起於過用此為常也不適其性而強云為過即病生此其常理五藏受氣
蓋有常分用而過耗是以病生故下文曰食氣入胃散精於肝淫氣
於筋肝養筋故胃散谷精之氣入於肝則浸淫滋養於筋絡矣食氣入胃濁
氣歸心淫精於脈濁氣穀氣也心居胃上故谷氣歸心淫溢精微入於脈也
何者心主脈故脈氣流經經氣歸於肺肺朝百脈輸精
於皮毛言脈氣流運乃為大經經氣歸宗上朝於肺肺為華蓋位復居高治節由之故
受百脈之朝會也平人氣象論曰藏真高於肺以行榮衛陰陽由此故肺朝百脈然乃布化精
氣輸於皮毛矣毛脈合精行氣於府府謂氣之所聚處也是謂氣海在兩

乳間名曰膻中也府精神明留於四藏氣歸於權衡膻中之布氣者分爲三隧其下者走於氣街上者走於息道宗氣留於海積於胷中命曰氣海是如是分化乃四藏安定三焦平均中外上下各得其所也權衡以平氣口成寸以決死生三世脉法皆以三寸爲寸關尺之分故中外高下氣緒均平則氣口之脉而成寸也夫氣口者脉之大要會也百脉尽朝故以其分決死生也飲入於胃遊溢精氣上輸於脾水飲流下至於中焦水化精微上爲雲霧雲霧散變乃注於脾靈樞經曰上焦如霧中焦如樞此之謂也脾氣散精上歸於肺通調水道下輸膀胱水土合化上滋肺金金氣通腎故調水道轉注下焦膀胱稟化乃爲溲矣靈樞經曰下焦如瀆此之謂也水精四布五經並行合於四時五藏陰陽揆度以爲常也從是水精布經

氣行筋骨戊血氣順配合四时寒暑證符五藏陰陽聮度盈虛用為常道度量也以用也。新校正云按一本云陰陽動靜太陽藏獨至厥喘虛氣逆是陰不足陽有餘也陰謂腎陽謂膀胱也故下文曰表裏當俱寫取之下俞陽獨至謂陽氣盛至也陽独至為陽有余陰不足則陽邪入故表裏俱寫取足六俞也下俞足俞也。新校正云詳六當為穴字之誤也按府有六俞藏止五俞今藏府俱寫不當言六俞六俞則不能兼藏言穴俞則藏府兼舉陽明藏獨至是陽氣重并也當寫陽補陰取之下俞陽氣重并故寫陽補陰少陽藏獨至是厥氣也蹻前卒大取之下俞蹻謂陽蹻脉在足外踝下足少陽脉行抵絶骨之端下出外踝之前循足跗然蹻前卒大則少陽之氣盛也故取足俞少陽也少陽獨至者一陽之過也一陽少陽也過謂大

過也以其大過故隔前卒大焉太陰藏搏者用心省真見太陰之脉伏
哉則當用心省察之者是真藏之脉不當給也五脉氣少胃氣不平三
陰也三陰太陰脾之脉也五藏脉少胃氣不調是亦太陰之過也宜治其下
俞補陽寫陰以陰氣大過故一陽獨嘯少陽厥也嘯謂耳中
鳴如嘯声也膽及三焦脉皆入耳故氣逆上則耳中鳴○新校正云詳此上明三陽此言三陰
今此再言少陽而不及少陰者疑此一陽乃二陰之誤也又詳全元起本此為少陰厥顯知此二
即二陰也陽并於上四脉爭張氣歸於腎心脾肝肺四脉爭張
陽并於上者是腎氣不足故氣歸於腎也宜治其經絡寫陽補陰陰氣
足則陽氣不復并於上矣一陰至厥陰之治也真虛痟心厥
氣留薄發為白汗調食和藥治在下俞一或作二誤也

厥陰一陰也上言二陰至則當少陰治下言厥陰治則當一陰至也然三墳之經俗久淪墜人少披習字多傳寫誤（肙）烏玄切骨節疼也帝曰太陽藏何象岐伯曰象三陽而浮也帝曰少陽藏何象岐伯曰象一陽也一陽藏者滑而不實也帝曰陽明藏何象岐伯曰象大浮也新校正云按大素及全元起本云象心之大浮也太陰藏搏言伏鼓也二陰搏至腎沉不浮也明前獨至之脉狀也。新校正云詳前脫二陰此無一陰闕文可知

○藏氣法時論篇第二十二新校正云按全元起本在第一卷又於第六卷脉要篇末重出

黃帝問曰合人形以法四時五行而治何如而

從何如而逆得失之意願聞其事歧伯對曰五行者金木水火土也更貴更賤以知死生以决成敗而定五藏之氣間甚之時死生之期也帝曰願卒聞之歧伯曰肝主春以應木也足厥陰少陽主治厥陰肝脉少陽膽脉肝與膽合故治同其日甲乙甲乙爲木東方干也肝苦急急食甘以緩之甘性和緩。新校正云按全元起本云肝苦急是其氣有餘心主夏以應火也手少陰太陽主治少陰心脉太陽小腸脉心與小腸合故治同其日丙丁丙丁爲火南方干也心苦緩急食酸以收之酸性收歛。新校正云按全元起本云心苦緩是心氣虛脾主長夏長夏謂六月也夏爲土母土長於中以長而治故云長夏。新校正云按全元起云脾王四季六月是火王之處蓋以脾主中央六月是十二月之中一年之半故脾王六月也足太陰陽明主治太陰脾脉陽明胃脉脾與胃合故治同其日戊己戊己爲土中央干也脾苦濕急食苦以燥之苦性乾燥肺主秋以應金也手太陰陽明主治大陰肺脉陽明大腸脉肺與大腸合故治同其日庚辛庚辛爲金西方干也肺苦氣上逆急食苦以泄之苦性宣泄故肺用之○新校正云按全元起云肺氣上逆是其氣有餘腎主冬以應水也足少陰太陽主治少陰腎脉太陽膀胱脉腎與膀胱合故治同其日壬癸壬癸爲水北方干也腎苦燥急食辛以潤之開腠理致津液通氣也辛性津潤也然腠理開津液達則肺氣下流腎與肺通故云通氣也病在肝愈於夏子制其鬼也餘愈同夏不愈甚

於秋子休鬼復王也餘甚同秋不死持於冬鬼休而母養故氣執持於父母之鄉也餘持同起於春自得其位故復起餘起同禁當風以風氣通於肝故禁而勿犯肝病者愈在丙丁丙丁應夏丙丁不愈加於庚辛庚辛應秋庚辛不死持於壬癸壬癸應冬起於甲乙甲乙應春木也肝病者平旦慧下晡甚夜半靜木王之時故爽慧也金王之時故加甚也水王之時故靜退也餘慧甚同其靜小異肝欲散急食辛以散之以藏氣當散故以辛發散也陰陽應象大論曰辛甘發散為陽也平人氣象論曰藏真散於肝言其常發散也用辛補之酸寫之辛味散故補酸味收故寫○新校正云按全元起本云用酸補之辛寫之自為一義病在心愈在長夏長夏不愈甚於冬冬不死持於春起於夏夾肝

例也禁溫食熱衣熱則心躁故禁止之心病者愈在戊巳戊巳應長夏也戊巳不愈加於壬癸壬癸應冬壬癸不死持於甲乙甲乙應春起於丙丁應夏火也心病者日中慧夜半甚平旦靜亦休王之義也心欲耎急食鹹以耎之以藏氣好耎故以鹹柔耎也平人氣象論曰藏真通於心言其常欲柔耎也用鹹補之甘寫之鹹補取其柔耎甘寫取其舒緩病在脾愈在秋秋不愈甚於春春不死持於夏起於長夏禁溫食飽食濕地濡衣溫濕及飽並傷脾氣故禁止之脾病者愈在庚辛應秋金氣也庚辛不愈加於甲乙應春氣也甲乙不死持於丙丁應夏氣也起於戊巳應長夏也脾病者日昳慧日出甚新校

正云按甲乙經日出作平旦雖日出與平旦時等按前文言木王之時皆云平旦而不云日出蓋日出於冬夏之期有早晚不若平旦之爲得也下晡靜土王則爽慧木剋則增甚金扶則靜退亦休王之義也一本或云日中持者謬也爰王藏之病皆以勝相加至其所生而愈至其所不勝而甚至於所生而持自得其位而起由是故皆有間甚之時死生之期也脾欲緩急食甘以緩之甘性和緩順其靜也用苦寫之甘補之苦寫取其堅燥甘補取其安緩病在肺愈在冬冬不愈甚於夏夏不死持於長夏起於秋例如肝也禁寒飲食寒衣肺惡寒氣故衣食禁之靈樞經曰形寒寒飲則傷肺飲尚傷肺其食甚焉肺不獨惡寒亦畏熱也肺病者愈在壬癸應冬水也壬癸不愈加於丙丁應夏火也丙丁不死持於戊巳長夏土也起於庚辛應秋

金也】肺病者，下晡慧，日中甚，夜半靜。【金王則慧，水王則靜，火王則甚也】肺欲收，急食酸以收之，【以酸性收斂故也】用酸補之，辛寫之。【酸收斂故補，辛發散故寫】病在腎，愈在春，春不愈，甚於長夏，長夏不死，持於秋，起於冬。【例如肝也】禁犯焠埃熱食溫炙衣。【腎性惡燥，故此禁之。○新校正云：按別本焠作悴，青對切。埃，烏來切。煩挻也】腎病者，愈在甲乙，【應春木也】甲乙不愈，甚於戊己，【長夏土也】戊己不死，持於庚辛，【應秋金也】起於壬癸。【應冬水也】腎病者，夜半慧，四季甚，下晡靜。【水王則慧，土王則甚，金王則靜】腎欲堅，急食苦以堅之，【以苦性堅燥也】用苦補之，鹹寫之。【苦補取其堅也，鹹寫取其耎也。耎溫土制也，故用寫之】夫邪氣之客於身也以勝相加邪者不正之目風寒暑濕飢飽勞逸皆是邪也非唯鬼毒疫癘也至其所生而愈謂至己所生也至其所不勝而甚謂至剋己之氣也至於所生而持謂至生己之氣也自得其位而起居所主處謂自得其位也必先定五藏之脉乃可言間甚之時死生之期也五藏之脉者謂肝弦心鈎肺浮腎營脾代知是則可言死生間甚矣三部九候論曰必先知經脉然後知病脉此之謂也肝病者兩脇下痛引少腹令人善怒肝厥陰脉自足而上環陰器抵少腹又上貫肝鬲布脇肋故兩脇下痛引少腹也其氣實則善怒靈樞經曰肝氣實則怒虛則目䀮䀮無所見耳無所聞善恐如人將捕之肝厥陰脉自脇肋循喉嚨入頏顙連目系膽少陽脉其支者從耳後入耳中出走耳前至目銳眥後故病

如是也恐謂恐懼魂不安也取其經厥陰與少陽經謂經脉也非其絡

病故取其經也取厥陰以治肝氣取少陽以調氣逆也故下文曰氣逆則頭痛

耳聾不聰頰腫肝厥陰脉自目系上出額與督脉會於巔故頭痛膽少陽脉支

別者從耳中出走耳前又支別者加頰車入厥陰之脉支別者從上系下頰裏故耳聾不聰頰

腫也是以上文兼取少陽也取血者脇中血痛徇異於常乃氣逆之診隨其左右有

則刺之心病者胸中痛脇支滿脇下痛膺背肩甲

間痛兩臂內痛心少陰脉支別者循胸出脇又手心主厥陰之脉起於胸中其

支別者亦循胸出脇下掖三寸上抵掖下下循臑內行太陰少陰之間入肘中下循臂行兩筋

之間又心少陰之脉直行者後從心系上肺上出掖下下循臑內後廉行太陰心主之後下

肘內循臂內後廉抵掌後銳骨之端又小腸太陽之脉自臂臑上繞肩甲交肩上故病如是腧

人朱切虚則胷腹大腸下與腰相引而痛手心主厥陰之
脉從胷中出屬心包下鬲歷絡三焦其支別者循胷出脇心少陰之脉自心系下鬲絡小腸故
病如是也取其經少陰太陽舌下血者少陰之脉從心系上俠咽
喉故取舌本下及經脉血也其變病刺郄中血者其或嘔變則刺少陰
之郄血滿者也手少陰之郄在掌後脉中去腕半寸當小指之後脾病者身重
善肌肉痿足不收行善瘈脚下痛脾象土而主肉故身重肉
痿也痿謂痿无力也脾太陰之脉起於足大指之端循指內側上內踝前廉上腨內骨少陰之
脉起於足小指之下斜趨足心上腨內出膕內廉故病則足不收行善瘈脚下痛也故下取少
陰○新校正云按甲乙經作善肌肌肉痿千金方云善飢足痿不收氣交變大論云肌肉萎足
痿不收行善瘈痿於危切遄衰也足不能行也音瘈音係小兒病又尺制切虚則腹滿

腸鳴飧泄食不化脾太陰脉從股內前廉入腹屬脾絡胃故病如是靈樞經曰中氣不足則腹爲之善滿腸爲之善鳴也取其經太陰陽明少陰血者少陰腎脉也以前病行善瘈脚下痛故取之而出血血滿者出之肺病者喘欬逆氣肩背痛新校正云按千金方作肩息背痛汗出尻陰股膝新校正云按甲乙經脉經作膝攣髀腨胻足皆痛肺藏氣而主喘息在變動爲欬故病則喘欬逆氣也背爲胷中之府肩背接近之故肩背痛也肺養皮毛邪盛則心液外泄故汗出也腎少陰之脉從口下上循腨內出膕內廉上股內後廉貫脊屬腎絡脉今肺病則腎脉受邪故尻陰股膝髀腨胻足皆痛故下取少陰也〔尻〕苦刀切〔腨〕時轉切跳也〔胻〕胡郎切脛也虛則少氣不能報息耳聾嗌乾氣虛少故不足以報入息也肺太陰之絡會於耳中故聾也腎少陰之脉從腎上貫肝鬲入肺中循喉嚨俠舌

本今脈虛則腎氣不足以上潤於嗌故嗌乾也是以下文兼取少陰也取其經太

陰足太陽之外厥陰內血者足太陽之外厥陰內者正謂腨內側

內踝後之直上則少陰脈也視左右足脈少陰部分有血滿異於常者即而取之腎病

者腹大脛腫新校正云按甲乙經云脛腫痛喘欬身重寢汗出

憎風腎少陰脈起於足而上循腨復從橫骨中俠齊循腹裏上行而入肺故腹大脛腫而

喘欬也腎病則骨不能用故身重也腎邪攻肺心氣內微心液爲汗故寢汗出也脛既腫矣汗

復津泄陰凝玄府陽爍上焦內熱外寒故憎風也憎風謂深惡之也虛則胷中痛

大腹小腹痛清厥意不樂腎少陰脈從肺出絡心注胷中然腎氣既

虛心無所制心氣熏肺故痛聚胷中也足太陽脈從項下行而至足腎虛則太陽之氣不能盛

行於足故足冷而氣逆也清謂氣清冷厥謂氣逆也以清冷氣逆故大腹小腹痛志不足則神

躁擾故不樂也○新校正云按甲乙經大腹小腹作大腸小腸取其經少陰太陽血者凡刺之道虛則補之實則寫之不盛不虛以經取之是謂得道經絡有血刺而去之是謂守法猶當揣形定氣先去血脈而後乃平有餘不足焉三部九候論曰必先度其形之肥瘦以調其氣之虛實實則寫之虛則補之必先去其血脈而後調之此之謂也肝色青宜食甘粳米牛肉棗葵皆甘肝性喜急故食甘物而取其寬緩也○新校正云詳肝色青至篇末全元起本在第六卷王氏移於此心色赤宜食酸小豆新校正云按甲乙經大素小豆作麻犬肉李韭皆酸心性喜緩故食酸物而取其收斂也肺色白宜食苦麥羊肉杏薤皆苦肺喜氣逆故食苦物而取其宣泄也脾色黃宜食鹹大豆豕肉栗藿皆鹹究斯宜食乃調利關鹹之義也腎爲胃關脾與胃合故假鹹柔耎以利其

脾閑和而胃氣乃行，胃行而脾氣才化，故應脾宜味与衆不同也。○新校正云：按上文曰肝苦急，急食甘以緩之；心苦緩，急食酸以收之；脾苦濕，急食苦以燥之；肺苦氣上逆，急食苦以泄之；腎苦燥，急食辛以潤之。此肝心肺腎食宜皆与前文合，獨脾食鹹宜不所苦，故王改物詠其義。

腎色黑，宜食辛，黃黍、雞肉、桃、葱皆辛。腎性喜燥，故食辛物而取其津潤也。

辛散，酸收，甘緩，苦堅，鹹耎。皆自然之氣也。然辛味苦味匪唯堅散而已，辛亦能潤能散，苦亦能燥能泄，故上文曰脾苦濕，急食苦以燥之；肺苦氣上逆，急食苦以泄之。則其謂苦之燥泄也。又曰腎苦燥，急食辛以潤之，則其謂辛之濡潤也。耎音軟。

毒藥攻邪，藥謂金玉土石草木菜果虫魚鳥獸之類，皆可以祛邪養正者也。然辟邪安正，惟毒乃能，以其能然，故通謂之毒藥也。○新校正云：按本草云下藥為佐使，主治病以應地，多毒，不可久服，欲除寒熱邪氣，破積聚愈疾者，皆本下經，故云毒藥攻邪。

五穀為

養謂粳米小豆麥大豆黃黍也五果為助謂桃李杏栗棗也五畜為
益謂牛羊豕犬雞也五菜為充謂葵藿薤葱韭也○新校正云按五常政大論
曰大毒治病十去其六常毒治病十去其七小毒治病十去其八无毒治病十去其九穀肉果
菜食養盡之无使過之傷其正也氣味合而服之以補精益氣
氣謂陽化味曰陰施氣味合和則補益精氣矣
陰陽應象大論曰陽為氣陰為味味歸形形歸
氣氣歸精精歸化精食氣形食味又曰形不足
者溫之以氣精不足者補之以味由是則補精
益氣其義可知○新校正云按孫思邈云精以
食氣氣養精以榮色形以食味味養形以生力
精順五氣以為靈也若食氣相惡則傷精也形
受味以成也若食味不調則損形也是以聖人
先用食禁以存性後制藥以防命氣味溫補以
存精形此之謂氣味合而服之以補精益氣也
此五者有辛酸甘苦鹹各有所利或散或收或

緩或急或堅或耎四時五藏病隨五味所宜也（用五味而調五藏配肝以甘心以酸脾以鹹肺以苦腎以辛者各隨其宜欲緩欲收欲耎欲泄欲散欲堅而爲用非以相生相養而爲義也）

○宣明五氣篇第二十三（新校正云按全元起本在第一卷）

五味所入酸入肝（肝合木而味酸也）辛入肺（肺合金而味辛也）苦入心（心合火而味苦也）鹹入腎（腎合水而味鹹也）甘入脾（脾合土而味甘也○新校正云按大素又云淡入胃）是謂五入（新校正云按至眞要大論云夫五味入胃各歸所喜攻酸先入肝苦先入心甘先入脾辛先入肺鹹先入腎）五氣

所病心爲噫（象火炎上煙隨焰出心不受穢故噫出之）肺爲欬（象金堅勁扣之有聲邪擊於肺故爲欬也欬苦蓋切）肝爲語（象木枝條而形支別語宜委曲故出

於肝

脾爲呑 象土包容物歸於內翕如皆受故爲呑也翕音吸

腎爲欠爲嚏 象水下流上生雲霧氣鬱於胃故欠生焉太陽之氣和利而滿於心出於鼻則生嚏嚔音帝

胃爲氣逆爲噦爲恐 以爲水穀之海腎與爲關關閉不利則氣逆而上行也以包容水穀性喜受寒寒穀相薄故爲噦也寒盛則噦起熱盛則恐生何者胃熱則腎氣微弱故爲恐也下文曰精氣并於腎則恐也噦呼會切烏声也

大腸小腸爲泄下焦溢爲水 大腸爲傳道之府小腸爲受盛之府受盛之氣既虛傳道之司不禁故爲泄利也下焦爲分注之所氣窒不寫則溢而爲水窒陟栗切

膀胱不利爲癃不約爲遺溺 膀胱爲津液之府水注由之然足三焦脉實約下焦而不通則不得小便足三焦脉虛不約下焦則遺溺也靈樞經曰足三焦者太陽之別也並太陽之正入絡膀胱約下焦實則閉癃虛則遺溺

膽爲怒 中正決斷无私无偏其性剛決故爲

慾也六節藏象論曰凡十一藏取決於膽也是謂五病五精所并精氣并於心則喜精氣謂火之精氣也肺虛而心精并之則爲喜靈樞經曰喜樂無極則傷魄魄爲肺神明心火并於肺金也并於肺則悲肝虛而肺氣并之則爲悲靈樞經曰悲哀動中則傷魂魂爲肝神明肺金并於肝木也并於肝則憂脾虛而肝氣并之則爲憂靈樞經曰愁憂不解則傷意意爲脾神明肝木并於脾土并於脾則畏一經云飢也腎虛而脾氣并之則爲畏畏謂畏懼也靈樞經曰恐懼而不解則傷精精爲腎神明脾土并於腎水也并於腎則恐心虛而腎氣并之則爲恐靈樞經曰怵惕思慮則傷神神爲心主明腎水并於心火也怵惕驚損也此皆正氣不足而勝氣并之乃爲是矣故下文曰是謂五并虛而相并者也

五藏所惡心惡熱熱則脈濆濁肺惡寒寒則氣留滯肝惡風風則筋燥急脾惡濕濕則肉痿腫腎惡燥燥則精竭涸○新校正云按楊上善云若今則云肺惡燥今此肺惡寒腎惡燥者燥在於秋寒之始也寒在於冬燥之終也肺在於秋以肺惡寒之甚故言其終腎在於冬腎惡不甚故言其始也是謂五惡

五藏化液心為汗泄於皮腠也肺為涕潤於鼻竅也肝為淚注於眼目也脾為涎溢於脣口也腎為唾生於牙齒也是謂五液

五味所禁辛走氣氣病無多食辛病謂力少不自勝也鹹走血血病無多食鹹苦走骨骨病無多食苦新校正云按皇甫士安云鹹先走腎此云走血者腎合三焦血脈雖屬肝心而為中焦之道故鹹入

而走血也苦走心此云走骨者水火相濟骨氣通於心也甘走肉肉病無多食甘酸走筋筋病無多食酸是皆為行其氣速故不欲多食多食則病甚故病者无多食也是謂五禁無令多食新校正云按大素五禁云肝病禁辛心病禁鹹脾病禁酸肺病禁苦腎病禁甘名此為五裁楊上善云口嗜而欲食之不可多也必自裁之命曰五裁

五病所發陰病發於骨陽病發於血陰病發於肉骨肉陰靜故陽氣從之血脉陽動故陰氣乘之陽病發於冬陰病發於夏夏陽氣盛故陰病發於夏冬陰氣盛故陽病發於冬各隨其少也是謂五發

五邪所亂邪入於陽則狂邪入於陰則痹邪居於陽

脉之中則四支熱盛故爲狂邪入於陰脉之内則六經凝泣而不通故爲痺【泣】音澁**搏陽則爲巔疾**邪内搏於陽則脉流薄疾故爲上巔之疾**搏陰則爲瘖**邪内搏於陰則脉不流故令瘖不能言○新校正云按難經云重陽者狂重陰者癲巢元方云邪入於陰則爲癲脉經云陰附陽則狂陽附陰則癲孫思邈云邪入於陽則爲狂邪入於陰則爲血痺邪入於陽傳則爲癲痓邪入於陰傳則爲痛瘖全元起云邪已入陰復傳於陽邪氣盛府藏受邪使其氣不朝榮氣不復周身邪與正氣相擊發動爲癲疾邪已入陽陽今復傳於陰藏府受邪故不能言是勝正也諸家之論不同今具載之**陽入之陰則靜陰出之陽則怒**隨所之而爲疾也之往也○新校正云按全元起云陽入陰則爲靜出則爲恐千金方云陽入於陰病靜陰出於陽病怒**是謂五亂**

五邪所見春得秋脉夏得冬脉長夏得春脉秋

得夏脉冬得長夏脉名曰陰出之陽病善怒不治是謂五邪皆同命死不治新校正云按陰出之陽病善怒已見前條此再言之文義不倫○古文錯簡也

五藏所藏心藏神精氣之化成也靈樞經曰兩精相薄謂之神肺藏魄精氣之匡佐也靈樞經曰並精而出入者謂之魄肝藏魂神氣之輔弼也靈樞經曰隨神而往來者謂之魂脾藏意記而不忘者也靈樞經曰心有所憶謂之意腎藏志專意而不移者也靈樞經曰意之所存謂之志腎受五藏六府之精元氣之本生成之根爲胃之關是以志能則命通○新校正云按楊上善云腎有二枚左爲腎藏志爲命門藏精也是謂五藏所藏

五藏所主心主脉壅遏榮氣應息而動也肺主皮包裹筋肉閉拒

諸邪也肝主筋束絡機關隨神而運也脾主肉覆藏筋骨通行衛氣也腎主骨張筋化髓幹以立身也是謂五主

五勞所傷久視傷血勞於心也久臥傷氣勞於肺也久坐傷肉勞於脾也久立傷骨勞於腎也久行傷筋勞於肝也是謂五勞所傷

五脉應象肝脉弦耎虛而滑端直以長也心脉鉤如鉤之偃來盛去衰也脾脉代耎而弱也肺脉毛輕浮而虛如毛羽也腎脉石沉堅而搏如石之投也是謂五藏之脉

○血氣形志篇第二十四新校正云按全元起本此篇并在前篇王氏分出爲別篇

夫人之常數太陽常多血少氣少陽常少血多氣陽明常多氣多血少陰常少血多氣厥陰常多血少氣太陰常多氣少血此天之常數血氣多少此天之常數故用鍼之道常寫其多也◎新校正云按甲乙經十二經水篇云陽明多血多氣刺深四分留十呼太陽多血多氣刺深五分留七呼少陽少血多氣刺深四分留五呼太陰多血少氣刺深三分留四呼少陰少血多氣刺深二分留三呼厥陰多血少氣刺深一分留二呼太陽太陰血氣多少與素問不同又陰陽二十五人形性血氣不同篇與素問同蓋皇甫疑而兩存之也足太陽與少陰爲表裏少陽與厥陰爲表裏陽明與太陰爲表裏是爲足陰陽也手太陽與少陰爲表裏少陽與心主爲表裏陽明與太

陰爲表裏是爲手之陰陽也今知手足陰陽所苦凡治病必先去其血乃去其所苦伺之所欲然後寫有餘補不足先去其血謂見血脉盛滿獨異於常者乃去之不謂常刺則然去其血也欲知背俞先度其兩乳間中折之更以他草度去半已即以兩隅相拄也乃舉以度其背令其一隅居上齊脊大椎兩隅在下當其下隅者肺之俞也度謂度量也言以草量其乳間四分去一使度斜與横等折爲三隅以上隅齊脊大椎則兩隅下當肺俞也拄知庾切復下一度心之俞也謂以上隅齊脊三椎也復下一度左角肝之俞也右角脾之俞也復下一度腎之俞也是謂五藏之俞

灸刺之度也靈樞經及中誥咸云肺俞在三椎之傍心俞在五椎之傍肝俞在九椎之傍脾俞在十一椎之傍腎俞在十四椎之傍尋此經草量之法則合度之人其初度兩隅之下約當肺俞再度兩隅之下約當心俞三度兩隅之下約當七椎七椎之傍乃鬲俞之位此經云左角肝之俞右角脾之俞此與中誥等經不同又四度則兩隅之下約當九椎九椎之傍乃肝俞也經云腎俞未究其源形樂志苦病生於脉治之以灸刺形謂身形志謂心志細而言之則七神殊守通而論之則約形志以爲中外爾然形樂謂不甚勞役志苦謂結慮深思不甚勞役則筋骨平調結慮深思則榮衛乖否氣血不順故病生於脉焉夫盛寫虛補是灸刺之道猶當去其血絡而後調之故上文曰凡治病必先去其血乃去其所苦伺之所欲然後寫有餘補不足則其義也形樂志樂病生於肉治之以鍼石志樂謂悅懌忘憂也然筋骨不勞心神悅懌則肉理相比氣道滿塡

衛氣怫結故病生於肉也夫衛氣留滿以鍼寫
之結聚膿血石而破之石謂石鍼則砭石也今
亦以鈹鍼代之鈹音鈹形苦志樂病生於筋治之以熨引
形苦謂修業就役也然修業以爲就役而作一
過其年則勞傷勞用以傷故病生於筋熨謂
藥熨引謂導引形苦志苦病生於咽嗌治之以百藥修業
就役結慮深思憂則肝氣并於脾肝與膽合嗌
爲之使故病生於嗌也宣明五氣篇曰精氣并
於肝則憂奇病論曰肝者中之將也取決於膽
咽爲之使也○新校正云按甲乙經咽嗌作困
竭百藥作甘藥形數驚恐經絡不通病生於不仁治之
以按摩醪藥驚則脈氣并恐則神不收脈并神
游故經絡不通而爲不仁之病矣
夫按摩者所以開通閉塞導引陰陽醪藥者所
以養正祛邪調中理氣故方之爲用宜以此焉
醪藥謂酒藥也不仁謂
不應其用則㿉痺矣是謂五形志也刺陽明

出血氣刺太陽出血惡氣刺少陽出氣惡血刺太陰出氣惡血刺少陰出氣惡血刺厥陰出血惡氣也明前三陽三陰血氣多少之刺約也○新校正云按太素云刺陽明出血氣刺太陰出血氣楊上善註云陽明太陰雖爲表裏其血氣俱盛故並寫血氣如是則太陰與陽明等俱爲多血多氣前文太陰一云多血少氣一云多氣少血莫可的知詳太素血氣並寫之旨則二說俱未爲得自與陽明同爾又此刺陽明一節宜續前寫有餘補不足下不當隔在卓度法五形志後

新刊黄帝内經素問卷第七

新刊黄帝内經素問卷第八

啓玄子次註林億孫奇高保衡等奉敕校正孫兆重改誤

○寶命全形論篇第二十五

新校正云按全元起本在第六卷名刺禁

黄帝問曰天覆地載萬物悉備莫貴於人人以天地之氣生四時之法成天以德流地以氣化德氣相合而乃生焉易曰天地絪緼萬物化醇此之謂也則假以温凉寒暑生長收藏四時運行而方成立君

王衆庶盡欲全形（貴賤雖殊然其寶命一矣故好生惡死者貴賤之常情也）形之疾病莫知其情留淫日深著於骨髓心私慮之（新校正云按太素慮作患）余欲鍼除其疾病爲之柰何（虛邪之中人微先見于色不知于身有形无形故莫知其情狀也留而不去淫衍日深邪氣襲虛故著於骨髓帝矜不度故請行其鍼○新校正云按別本不度作不庶）岐伯對曰夫鹽之味鹹者其氣令器津泄（鹹謂鹽之味苦浸淫而潤物者也夫鹹爲苦而生鹹從水而有水也潤下而苦泄故能令器中水津液潤滲泄焉凡虛中而受物者皆謂之器其於體外則謂陰囊其於身中所同則謂膀胱矣然以病配於五藏則心氣伏於腎中而不去乃爲是矣何者腎家水而味鹹心合火而味苦苦流汗液鹹走胞囊火爲水持故陰囊之外津潤如汗而滲泄不止也凡鹹之爲氣天陰則潤在土則浮在人則囊濕而皮膚

剥起絃絶者其音嘶敗陰囊津液而脉絃絶者診當言音嘶嗄敗易舊声尔
何者肝氣傷也肝氣傷則金本缺金本缺則肺氣不全肺主音声故言音嘶嗄嗄所嫁切木
敷者其葉發敷布也言木氣散布外榮於所部者其病當發於肺葉之中也何者
以木氣發散故也平人氣象論曰藏真散於肝肝又合木也病深者其聲噦
噦謂有濁惡也肺藏惡血故如是人有此三者是謂壞府府謂胷也
以肺處胷中故也壞謂損壞其府而取病也抱朴子云仲景開胷以納赤餅由此則胷可啓之
而取病矣三者謂脉弦絶肺葉發声濁噦也毒藥無治短鍼無取此
皆絶皮傷肉血氣爭黒病内濃於肺中故毒藥無治外不在於經絡故
短鍼無取是以絶皮傷肉乃可攻之以惡血久与肺氣交爭故當血見而色黒也〇新校正云
詳岐伯之對与黄帝所問不相當別按太素云夫鹽之味鹹者其氣令器津泄弦絶者其音嘶

賊本陳者其葉落病深者其聲噦人有此三者
是謂壞府毒藥無治短鍼無取此皆絕皮傷肉
血氣爭黑三字與此經不同而注意大與楊上
善注云言欲知病微者須知其候鹽之在於器
中津液泄於外見清而知鹽之有鹹也聲斯知
琴瑟之絃將絕葉落者知陳木之已盡舉此三
物衰壞之微以比聲噦識病深之候人有聲噦
同三譬者是爲府壞之候中府壞者病之深也
其病既深故鍼藥不能取以其皮肉血氣各不
相得故也再詳上善作此等註義方與黃帝上
下問荅義相貫穿王氏解鹽鹹器津義雖淵微
至於註絃絕音嘶木敷葉發殊不與帝問相協
考之不若楊義之得多也帝曰余念其痛心爲之亂惑反甚
其病不可更代百姓聞之以爲殘賊爲之奈何
殘謂殘害賊謂損切言恐涉於不仁致嫌於黎庶也岐伯曰夫人生於地
懸命於天天地合氣命之曰人形假物成故生於地命惟天賦

故懸於天德氣同歸故謂之人也靈樞經曰天之在我者德地之在我者氣德流氣薄而生者也然德者道之用氣者生之母也人能應四時者天地為之父母人能應四時和氣而養生者天地恒畜養之故為父母四氣調神大論曰夫四時陰陽者萬物之根本也所以聖人春夏養陽秋冬養陰以從其根故與萬物沉浮於生長之門也知萬物者謂之天子知萬物之根本者天地常育養之故謂曰天之子天有陰陽人有十二節節謂節氣外所以應十二月內所以主十二經脉也天有寒暑人有虛實寒暑有盛衰之紀虛實表多少之殊故以虛實應天寒暑也能經天地陰陽之化者不失四時知十二節之理者聖智不能欺也經常也言能常應順天地陰陽之道而修養者則合四時生長之宜能知十二節氣之所遷至者雖聖智亦不欺侮而奉行之也

能存八動之變五勝更立能達虛實之數者獨
出獨入呿吟至微秋毫在目存謂心存達謂明達呿謂欠呿吟謂
吟嘆秋毫在目言細必察也八動謂八節之風
變動五勝謂五行之氣相勝立謂當其王時變
謂氣至而變易知是三者則應效明著速猶影
響此自神之獨出獨入亦非鬼靈能召遣也㊀
新校正云按楊上善云
(云)呿法遲切謂露齒出氣帝曰人生有形不離陰
陽天地合氣別爲九野分爲四時月有小大日
有短長萬物並至不可勝量虛實呿吟敢問其
方請說用鍼之意岐伯曰木得金而伐火得水而滅土
得木而達金得火而缺水得土而絕萬物盡然
不可勝竭達通也言物類雖不可竭盡而數要之皆如五行之氣而有勝負之性分

故鍼有懸布天下者五黔首共餘食莫知之也

言鍼之道有若高懸示人彰布於天下者五矣而百姓共知餘食咸棄蔑之不務於本而崇乎末莫知真要深在其中所謂五者次如下句○新校正云按全元起本餘食作飽食注云人愚不解陰陽不知鍼之妙飽食終日莫能知其妙益又太素作飲食楊上善註云黔首共服用此道然不能得其意黔音鈐

一曰治神

專精其心不妄動亂也所以云手如握虎神無營於眾物蓋欲調治精神專其心也○新校正云按楊上善云存生之道知此五者以為攝養可得長生也魂神意魄志以神為主故皆名神欲為鍼者先須治神故人無悲哀動中則魂不傷肝得無病秋無難也無怵惕思慮則神不傷心得無病冬無難也無愁憂不解則意不傷脾得無病春無難也無喜樂不極則魄不傷肺得無病夏無難也無盛怒者則志不傷腎得無病季夏無難也是以五過不起於心則神清性明五神各安其藏則壽延遐算也

二曰

知養身知養己身之法亦如養人之道矣陰陽應象大論曰用鍼者以我知彼用之不殆此之謂也○新校正云按太素身作形楊上善云飲食男女節之以限風寒暑濕攝之以時有異單豹外凋之害即內養形也實慈恕以愛人和璧勞而不遊有殊張毅高門之傷即外養形也內外之養周備則不求生而久生無期壽而長壽此則鍼布養形之極也玄元皇帝曰太上養神其次養形詳王氏之註專治神養身於用鍼之際其說甚狹不若上善之說爲優若必以其五者解爲用鍼之際則下文知毒藥爲真王氏亦不專用鍼爲解也三曰知毒藥爲真毒藥攻邪順宜而用正真之道其在兹乎四曰制砭石小大古者以砭石爲鍼故不舉九鍼但言砭石當制其大小者隨病所宜而用之○新校正云按全元起云砭石者是古外治之法有三名一鍼石二砭石三鑱石其實一也古來未能鑄鐵故用石爲鍼故名之鍼石言工必砥礪鋒利制其小大之形與病相當黄帝造九鍼以代鑱石上

古之治者各隨方所宜東方之人多癰腫聚結故砭石生於東方五曰知府藏血氣之診諸陽爲府諸陰爲藏故血氣形志篇曰太陽多血少氣少陽少血多氣陽明多氣多血少陰少血多氣厥陰多血少氣太陰多氣少血是以刺陽明出血氣刺太陽出血惡氣刺少陽出氣惡血刺太陰出氣惡血刺少陰出氣惡血刺厥陰出血惡氣也精知多少則補寫萬全五法俱立各有所先事宜則應者先用今末世之刺也虛者實之滿者泄之此皆衆工所共知也若夫法天則地隨應而動和之者若響隨之者若影道無鬼神獨來獨往隨應而動言其效也若影若響言其近也夫如影之隨形響之應聲豈復有鬼神之召遣耶蓋由隨應而動之自得爾帝曰願聞其道岐伯曰凡刺之真必先治神專其精神寂无動亂

刺之眞要其在斯焉五藏已定九候已備後乃存鍼先定五藏之脉備循九候之診而有太過不及者然後乃存意於用鍼之法衆脉不見衆凶弗聞外內相得無以形先衆脉謂七診之脉衆凶謂五藏相乘外內相得言形氣相得也无以形先言不以已形之衰盛寒溫料病之形氣使同於已也故下文曰可玩往來乃施於人玩謂玩弄言精熟也標本病傳論曰謹熟陰陽无与衆謀此其類也○新校正云按此人文出陰陽別論此云標本病傳論者誤也有虛實五虛勿近五實勿遠至其當發間不容瞚人之虛實非其遠近而有之蓋由血氣一時之盈縮尔然其未發則如雲垂而視之可久至其發也則如電滅而指所不及遲速之殊有如此矣○新校正云按甲乙經瞚作瞚全元起本及太素作眴(瞚)音舜手動若務鍼耀而勻手動用鍼心如專務於一

事也鍼經曰一其形聽其動靜而知邪正此之
謂也鍼耀而勻謂鍼形光淨而上下勻平也
靜意視義觀適之變是謂冥冥莫知其形冥冥言血
氣變化之不可見也故靜意視息以義斟酌觀
所調適經脈之變易爾雖且鍼下用意精微而
測量之猶不知變易形容誰為其象也新校
正云按八正神明論云觀其冥冥者言形氣榮
衛之不形於外而工獨知以日之寒溫月之
虛盛四時氣之浮沉參伍相合而調之工常先
見之然而不形於外
故曰觀於冥冥焉見其烏烏見其稷稷從見
其飛不知其誰烏烏歎其氣至稷稷嗟其已應
言所鍼得失如從空中見飛鳥
之往來豈復知其所使之元主耶是但見經
脈盈虛而為信亦不知其誰之所召遣爾伏
如橫弩起如發機血氣之未應鍼則伏如橫弩
之安靜其應鍼也則起如機
發之
迅疾帝曰何如而虛何如而實言血氣既伏如
橫弩起如發機

然其虛實豈留呼而可爲準定耶虛實之形何如而約之岐伯曰刺虛者須其實刺實者須其虛言要以氣至有効而爲約不必守息數而爲定法也經氣已至慎守勿失無變法而失經氣也深淺在志遠近若一如臨深淵手如握虎神無營於衆物言精心專一也所鍼經脈雖深淺不同然其補寫皆如一俞之專意故手如握虎神不外營焉○新校正云按鍼解論云刺實須其虛者留鍼陰氣隆至乃去鍼也刺虛須其實者陽氣隆至鍼下熱乃去鍼也經氣已至慎守勿失者勿變更也深淺在志者知病之內外也遠近如一者深淺其候等也如臨深淵者不敢墮也手如握虎者欲其壯也神無營於衆物者靜志觀病人無左右視也

○八正神明論篇第二十六

新校正云：按全元起本在第二卷，又與太素知官能篇大意同，文勢小異。

黃帝問曰：用鍼之服，必有法則焉，今何法何則？服，事也。法，象也。則，準也，效也。岐伯對曰：法天則地，合以天光。謂合日月星辰之行度。帝曰：願卒聞之。岐伯曰：凡刺之法，必候日月星辰四時八正之氣，氣定乃刺之。候日月者，謂候日之寒溫，月之空滿也。星辰者，謂先知二十八宿之分，應水漏刻者也。略而言之，常以日加之於宿上，則知人氣在太陽否。日行一舍，人氣在三陽與陰分矣。細而言之，從房至畢十四宿，水下五十刻，半日之度也；從昴至心亦十四宿，水下五十刻，終日之度也。是故從房至畢者爲陽，從昴至心者爲陰，陽主晝，陰主夜也。凡日行一舍，故水下三刻與七分刻之四也。靈樞經曰：水下一刻，人氣在太陽；水下二刻，人氣在少陽；水下三刻，人氣在陽明；水下四刻，人氣在陰分亦下不止氣行亦尔文曰日行一舍人氣行於身一周與十分身之八日行二舍人氣行於身三周與十分身之六日行三舍人氣行於身五周與十分身之四日行四舍人氣行於身七周與十分身之二日行五舍人氣行於身九周然日行二十八舍人氣亦行於身五十周與十分身之四由是故必候日月星辰也四時八正之氣者謂四時正氣八節之風來朝於太一者也謹候其氣之所在而刺之氣定乃刺之者謂八節之風氣靜定乃可以刺經脉調虛實也故曆忌云八節前後各五日不可刺灸凶是則謂氣未定故不可刺灸也○新校正云按八節風朝太一具天元玉冊中是故天溫日明則人血淖液而衛氣浮故血易寫氣易行天寒日陰則人血凝泣而衛氣沉泣謂如水中居雪也淖奴教切多也月始生則血氣始精衛氣始行月郭滿則血氣實肌肉堅月郭

空則肌肉減經絡虛衛氣去形獨居是以因天時而調血氣也是以天寒無刺（血凝泣而衛氣沉也）天溫無凝（血淖液而氣易行也）月生無寫月滿無補月郭空無治是謂得時而調之（謂得天時也）因天之序盛虛之時移光定位正立而待之（候日遷移定氣所在南面正立待氣至而調之也）故日月生而寫是謂藏虛（血氣弱也○新校正云按全元起本藏作減藏當作減）月滿而補血氣揚溢絡有留血命曰重實（絡亦為經誤血氣盛也留一為流非也）月郭空而治是謂亂經陰陽相錯真邪不別沉以留止外虛內亂淫邪乃起（氣失紀故淫邪起）帝曰星辰八正何候岐伯

日星辰者所以制日月之行也制謂制度定星辰則可知日月行之制度矣略而言之周天二十八宿宿三十六分人氣行一周天凡一千八分周身十六丈二尺以應二十八宿合漏水百刻都行八百一十丈以分晝夜也故人十息氣行六尺日行二分二百七十息氣行十六丈二尺一周於身水下二刻日行二十分五百四十息氣行再周於身水下四刻日行四十分二千七百息氣行十周於身水下二十刻日行五宿二十分一萬三千五百息氣行五十周於身水下百刻日行二十八宿也細而言之則常以一十周加之一分又十分分之六乃奇分盡矣是故星辰所以制日月之行度也○新校正云詳周天二十八宿至日行二十八宿也本舊脫文今具甲乙經中八正者所以候八風之虛邪以時至者也八正謂八節之正氣也八風者東方嬰兒風南方大弱風西方剛風北方大剛風東北方凶風東南方弱風西南方謀風西北方折風也虛邪謂乘人之虛而

爲病甚也以時至謂天應太一移居以八節之前後風朔中宮而至者也○新校正云詳太一
移居風朔中宮義具天元玉册四時者所以分春秋冬夏之氣
所在以時調之也八正之虛邪而避之勿犯也
四時之氣所在者謂春氣在經脉夏氣在孫絡秋氣在皮膚冬氣在骨髓也然觸冒虛邪動傷
眞氣避而勿犯乃不病焉靈樞經曰聖人避邪如避矢石蓋以其能傷眞氣也以身之
虛而逢天之虛兩虛相感其氣至骨入則傷五
藏以虛感虛同氣而相應也工候救之弗能傷也候知而止故弗能傷
之救止也故曰天忌不可不知也人忌於天故云天忌犯之則病故不
可不知也帝曰善其法星辰者余聞之矣願聞法往
古者岐伯曰法往古者先知鍼經也驗於來今

者先知日之寒温月之虚盛以候氣之浮沉而調之於身觀其立有驗也候氣不差故立有驗觀其冥冥者言形氣榮衛之不形於外而工獨知之明前篇靜意視義觀適之變是謂冥冥莫知其形也雖形氣榮衛不形見於外而工以心神明悟獨得知其衰盛焉善惡悉可明之〇新校正云按前篇乃寶命全形論以日之寒温月之虚盛四時氣之浮沉參伍相合而調之工常先見之然而不形於外故曰觀於冥冥焉工所以常先見者何哉以守法而神通明也通於無窮者可以傳於後世也是故工之所以異也法著故可傳後世後世不變則應用通於無窮矣以獨見知故工所以異於人也然而不形見於外故俱不能

見也工異於粗者以粗俱不能見也視之無形嘗之無味故謂冥冥若神髣髴言形氣榮衛不形於外以不可見故覩无形嘗无味伏如横弩起如發機窈窈冥冥莫知元主謂如神運髣髴焉若存也髣音倣髴音弗虛邪者八正之虛邪氣也八正之虛邪謂八節之虛邪也以從虛之鄉來襲虛而入為病故謂之八正虛邪正邪者身形若用力汗出腠理開逢虛風其中人也微故莫知其情莫見其形正邪者不從虛之鄉來也以中人微故莫知其情意莫見其形狀上工救其萌牙必先見三部九候之氣盡調不敗而救之故曰上工下工救其已成救其已敗救其已成者言不知三部九候之相失因病而敗之也義備離合真邪論中

知其所在者知診三部九候之病脈處而治之故曰守其門戶焉莫知其情而見邪形也三部九候爲候邪之門戶也守門戶故見邪形以中人微故莫知其情狀也帝曰余聞補寫未得其意歧伯曰寫必用方方者以氣方盛也以月方滿也以日方溫也以身方定也以息方吸而內鍼乃復候其方吸而轉鍼乃復候其方呼而徐引鍼故曰寫必用方其氣而行焉方猶正也寫邪氣出則其氣流行矣補必用員員者行也行者移也行謂宣不行之氣令必宣行移謂移未復之脈俾其平復刺必中其榮復以吸排鍼也鍼入至血謂之中榮故員與方非鍼也所言方員者非

謂鍼形正謂行移之義也故養神者必知形之肥瘦榮衛血氣之盛衰血氣者人之神不可不謹養神安則壽延神去則形弊故不可不謹養也帝曰妙乎哉論也合人形於陰陽四時虛實之應冥冥之期其非夫子孰能通之然夫子數言形與神何謂形何謂神願卒聞之神謂神智通悟形謂形診可觀歧伯曰請言形形乎形目冥冥問其所病新校正云按甲乙經作捫其所痛義亦通索之於經慧然在前按之不得不知其情故曰形外隱其無形故目冥冥而不見內藏其有象故以診而可索於經也慧然在前按之不得言三部九候之中卒然逢之不可為之則準也離合真邪論曰在陰與陽不可為度從而察之三部九候卒然逢之早遏

其路此其義也帝曰何謂神岐伯曰請言神神乎神耳不聞目明心開而志先慧然獨悟口弗能言俱視獨見適若昏昭然獨明若風吹雲故曰神耳不聞言神用之微密也目明心開而志先者言心之隨如昏昧開卷目之見如氣翳明神鋒為黠志已先往矣慧然謂清爽也悟猶了達也慧然獨悟口弗能言者謂心中清爽而了達口不能宣吐以寫心也俱視獨見適若昏者歎見之異速也言與衆俱視我忽獨見適猶若昏昧爾既獨見了心眼昭然獨能明察若雲隨風卷目羅天明至哉神乎妙用如見不可得而言也三部九候爲之原九鍼之論不必存也以三部九候經脈爲之本原則可通神悟之妙用若以九鍼之論僉議則其旨惟傳其知弥遠矣故曰三部九候爲之原九鍼之論不必存也

〇離合眞邪論篇第二十七

新校正云按全元起本在第一卷名經合第二卷重出名眞邪

黄帝問曰余聞九鍼九篇夫子乃因而九之九九八十一篇余盡通其意矣經言氣之盛衰左右傾移以上調下以左調右有餘不足補寫於榮輸余知之矣此皆榮衞之傾移虚實之所生非邪氣從外入於經也余願聞邪氣之在經也其病人何如取之奈何岐伯對曰夫聖人之起度數必應於天地故天有宿度地有經水人有經脉宿謂二十八宿度謂天之三百六十五度也經水者謂海水清水渭水湖水沔水汝

水江水淮水漯水河水漳水濟水並以其內合經脉故各之經水焉經脉者謂手足三陰三陽之脉所以言者以內外參合人氣應通故言之也○新校正云按甲乙經云足陽明外合於海水內屬於胃足太陽外合於涇水內屬膀胱足少陽外合於渭水內屬於膽足太陰外合於湖水內屬於脾足厥陰外合於沔水內屬於肝足少陰外合於汝水內屬於腎手陽明外合於江水內屬於大腸手大陽外合於淮水內屬於小腸手少陽外合於漯水內屬於三焦手大陰外合於河水內屬於肺手心主外合於漳水內屬於心包手少陰外合於濟水內屬於心天地溫和則經水安靜天寒地凍則經水凝泣天暑地熱則經水沸溢卒風暴起則經水波涌而隴起大經脉亦應之夫邪之入於脉也寒則血凝泣暑則氣淖澤虛邪因而入客亦如經水之得風也

經之動脉其至也亦時隴起其行於脉中循循然循循然順動貌言隨順經脉之動息因循呼吸之往來但形狀或異耳循循一爲輴輴敕論切其至寸口中手也時大時小大則邪至小則平其行無常處大謂大常平之形診小者非細小之謂也以其比大則謂之小若無大以比則自是平常之經氣耳然邪氣者因其陰氣則入陰經因其陽氣則入陽脉故其行無常處也在陰與陽不可爲度以隨經絡之流運也從而察之三部九候卒然逢之早遏其路逢謂逢遇遏謂遏絕三部之中九候之位卒然逢遇當按而止之即而寫之逕路既絕則大邪之氣無能爲也所謂寫者如下文云吸則內鍼無令氣忤靜以久留無令邪布吸則轉鍼以得氣爲故候呼引鍼呼盡乃去

大氣皆出故命曰寫按經之旨先補真氣乃寫其邪也何以言之下文補法呼盡內鍼靜以久留此段寫法吸則內鍼又靜以久留然呼盡則次其吸吸至則不兼呼內鍼之候既同以久留之理復一則先補之義昭然可去鍼經云寫曰迎迎之迎之意必持而內之放而出之排陽出鍼疾氣得泄補曰隨隨之隨之意若忘之若行若海如蚊虻止如留如還則補之必去留也所以先補者真氣不足鍼乃寫之則經脉不滿邪氣無所排遣故先補真氣令足後乃寫其邪矣引謂引出去謂離穴候呼而引至其門呼盡乃離穴戶則經氣審以平定邪氣無所拘留故大邪之氣隨鍼而出也呼謂氣出吸謂氣入轉謂轉動也大氣謂大邪之氣錯亂陰陽者也帝曰不足者補之奈何岐伯曰必先捫而循之切而散之推而按之彈而怒之抓而下之通而取之外引其門以閉其神捫循謂手摸切謂指按也捫而

循之欲氣舒緩，切而散之使經脉宣散，推而按之排蹙其皮也，彈而怒之使脉氣䐜滿也，抓而下之置鍼準也，通而取之以常法也，外引其門以閉其神，則推而按之者，抑謂蹙按穴外之皮令當鍼之處，鍼已放去則不破之皮蓋其所刺之門，門戶不閉則神氣內守，故云以閉其神也。調經論曰：外引其皮，令當其門戶。又曰：推闔其門，令神氣存。此之謂也。○新校正云：按王引調經論文，今詳非本論之文，傍見甲乙經鍼道篇文，曰已下乃當篇之文也。闔音門，誑側交切。

呼盡內鍼，靜以久留，以氣至為故。呼盡內鍼，亦同吸也。言必以氣至而為去鍼之故，不以息之多數而便去鍼也。鍼經曰：刺之而氣不至，無問其數；刺之氣至去之，勿復鍼。此之謂也。無問息數以為遲速之約要，當以氣至而鍼去，不當以鍼下氣未至而鍼出乃更為也。**如待所貴，不知日暮。**論人事於候氣也。暮，晚也。**其氣以至，適而自護。**適，調適也。護，慎守也。言氣已平調則當慎守，勿令改變，使

疾更生也鍼經曰經氣已至慎守勿失此其義也所謂慎守當如下說○新校正云詳王引鍼
經之言乃素問寶命全形論篇文兼見于鍼解論耳候吸引鍼氣不得出
各在其處推闔其門令神氣存大氣留止故命
曰補正言迎外門已閉神氣復存候吸引鍼大氣不泄補之為義斷可知焉然此大氣謂
大經之氣流行榮衛者帝曰候氣奈何謂候可取之氣也岐伯曰
夫邪去絡入於經也舍於血脈之中繆刺論曰邪之客於
形也必先舍於皮毛留而不去入舍於孫脈留而不去入舍於絡脈留而不去入舍於經脈故
云去絡入於經也其寒溫未相得如涌波之起也時來
時去故不常在以周遊於十六丈二尺經脈之分故不常存於所候之處也
故曰方其來也必按而止之止而取之無逢其

衝而寫之衝謂應水刻數之平氣也靈樞經曰水下一刻人氣在太陽水下二刻人氣在少陽水下三刻人氣在陽明水下四刻人氣在陰分然氣在太陽則太陽獨盛氣在少陽則少陽獨盛夫見獨盛者便謂邪來以鍼寫之則反傷真氣故下文曰真氣者經氣也經氣大虛故曰其來不可逢此之謂也經氣應刻乃謂為邪工若寫之則深誤也故曰其來不可逢故曰候邪不審大氣已過寫之則真氣脫脫則不復邪氣復至而病益蓄不悟其邪反誅無罪則真氣㽞脫邪氣復侵經氣大虛故病弥蓄積故曰其往不可追此之謂也已隨經脈之流去不可復追召使還不可掛以髮者待邪之至時而發鍼寫矣言輕微而有尚且知之況若涌波不知其至也若先若後者血氣已盡其病不可

下言不可取而取失時也○新校正云按全元起本作血氣已盡盡字當作虛字之誤也故曰知其可取如發機不知其取如扣椎故曰知機道者不可掛以髮不知機者扣之不發此之謂也機者動之微言貴知其微也帝曰補寫奈何岐伯曰此攻邪也疾出以去盛血而復其眞氣視有血者乃取之此邪新客溶溶未有定處也推之則前引之則止逆而刺之溫血也言邪之新客未有定居推鍼補之則隨補而前進若引鍼致之則隨引而留止也若不出盛血而反溫之則邪氣內勝反增其害故下文曰刺出其血其病立已帝曰善然眞邪以合波隴不起候之奈何岐伯曰審捫循三部九候之盛

虛而調之盛者寫之虛者補之不盛不虛以經取之則其法也察其左右上下相失及相減者審其病藏以期之氣之在陰則候其氣之在於陰分而刺之氣之在陽則候其氣之在於陽分而刺之是謂逢時靈樞經曰水下一刻人氣在太陽水下四刻人氣在陰分迭積刻不已氣亦隨在周而復始故審其病藏以期其氣而刺之不知三部者陰陽不別天地不分地以候地天以候天人以候人調之中府以定三部故曰刺不知三部九候病脉之處雖有大過且至工不能禁也禁謂禁止也然候邪之處尚未能知病復能禁止其候氣耶誅罰無過命曰大惑反亂大經真不可復用實為虛以邪為真用鍼無義反為氣賊奪人正氣

以從爲逆榮衛散亂眞氣已失邪獨内著絕人長命予人夭殃不知三部九候故不能久長識非精辨學未該明且亂大經又爲氣藏動爲殘害安可久乎因不知合之四時五行因加相勝釋邪攻正絕人長命非推踈三部九候之爲斃若不知四時五行之氣亭亦足以殞絕其生靈也邪之新客來也未有定處推之則前引之則止逢而寫之其病立已再言之者其法必然

○通評虛實論篇第二十八新校正云按全元起本在第四卷

黃帝問曰何謂虛實岐伯對曰邪氣盛則實精氣奪則虛奪謂精氣減少如奪去也帝曰虛實何如言五藏虛實之

大體岐伯曰氣虛者肺虛也氣逆者足寒也非其時則生當其時則死非時謂年直之前後也當時謂正直之年也餘藏皆如此五藏同帝曰何謂重實岐伯曰所謂重實者言大熱病氣熱脉滿是謂重實帝曰經絡俱實何如何以治之岐伯曰經絡皆實是寸脉急而尺緩也皆當治之故曰滑則從濇則逆也脉急謂脉口也夫虛實者皆從其物類始故五藏骨肉滑利可以長久也物之生則滑利物之死則枯濇故濇為逆滑為從也謂順帝曰絡氣不足經氣有餘何如岐伯曰絡氣不足經氣有餘者脉口熱而尺寒也秋冬為

逆春夏爲從治主病者春夏陽氣高故脈口熱尺中寒爲順也十二經十五絡各隨左右而有太過不足工當尋其至中以捡鍼艾故云治主病者也帝曰經虛絡滿何如岐伯曰經虛絡滿者尺熱滿脈口寒濇也此春夏死秋冬生也秋冬陽氣下故尺中熱脈口寒爲順也帝曰治此者奈何岐伯曰絡滿經虛灸陰刺陽經滿絡虛刺陰灸陽以陰分主絡陽分主經故耳帝曰何謂重虛此反問前重實也岐伯曰脈氣上虛尺虛是謂重虛言尺寸脈俱虛○新校正云按甲乙經作脈虛氣虛尺虛是謂重虛此少一虛字多一上字王注言尺寸脈俱虛則不兼氣虛也詳前熱病氣熱脈滿爲重實此脈虛氣虛尺虛爲重虛是脈與氣俱實爲重實俱虛爲重虛不但尺寸俱虛爲重虛也帝曰何以

治之岐伯曰所謂氣虛者言無常也尺虛者行步恇然寸虛則脉動無常尺虛則行步恇然不足○新校正云按楊上善云氣虛者胃中氣不定也王謂寸虛則脉動無常非也脉虛者不象陰也不象太陰之候也何以言之氣口者脉之要會手太陰之動也如此者滑則生濇則死也帝曰寒氣暴上脉滿而實何如言氣熱脉滿已謂重實滑則從濇則逆今氣寒脉滿亦可謂重實乎其於滑濇生死逆從何如岐伯曰實而滑則生實而逆則死逆謂濇也○新校正云詳王氏以逆為濇大非古文簡畧辭多互文上言滑而下言逆舉滑則從可知言逆則濇可見非謂逆為濇也帝曰脉實滿手足寒頭熱何如岐伯曰春秋則生冬夏則死大畧言之夏手足寒非病也是夏行冬令夏得則冬死冬脉實滿頭熱亦非病

也是冬行夏令冬得則夏已冬冬夏以言之則皆不死春秋得之是病故生死皆在時之于孟月
也脉浮而濇濇而身有熱者死新校正云按甲乙經移續於此
舊在後帝曰形度骨度脉度筋度何以知其度也下對問義不相類王氏頗知其錯簡而不知
皇甫士安重移附於此今去後條移從於此帝曰其形盡滿何如岐
伯曰其形盡滿者脉急大堅尺濇而不應也形盡
滿謂四形藏盡滿也○新校正云按甲乙經太素濇作滿如是者從則生逆
則死帝曰何謂從則生逆則死岐伯曰所謂從
者手足溫也所謂逆者手足寒也帝曰乳子而
病熱脉懸小者何如懸謂如懸物之動也岐伯曰手足溫
則生寒則死新校正云按太素無手字楊上善云足溫氣下故生脉寒氣不下者

泄而致死帝曰乳子中風熱喘鳴肩息者脉何如岐伯曰喘鳴肩息者脉實大也緩則生急則死緩謂如纓緩急謂如弦張之急非往來之緩急也正理傷寒論曰緩則中風故乳子中風脉緩則生急則死帝曰腸澼便血何如岐伯曰身熱則死寒則生熱為血敗故死寒為榮氣在故生帝曰腸澼下白沫何如岐伯曰脉沉則生脉浮則死陰病而見陽脉與證相反故死帝曰腸澼下膿血何如岐伯曰脉懸絶則死滑大則生帝曰腸澼之屬身不熱脉不懸絶何如岐伯曰滑大者曰生懸濇者曰死以藏期之肝見庚辛死心見壬癸死肺見丙丁死腎見戊己死脾見甲乙死是謂以藏期之帝曰癲疾

何如岐伯曰脉搏大滑久自已脉小堅急死不治脉小堅急爲陰陽病而見陰脉故死不治○新校正云按巢元方云脉沉小急實死不治小牢急亦不可治帝曰癲疾之脉虚實何如岐伯曰虚則可治實則死以反證故帝曰消癉虚實何如岐伯曰脉實大病久可治脉懸小堅病久不可治久病血氣衰脉不當實大故不可治○新校正云詳經言實大病久可治注意以爲不可治按甲乙經太素全元起本並云可治又按巢元方云脉數大者生細小浮者死又云沉小者生實牢大者死癉徒冊切熱病也帝曰形度骨度脉度筋度何以知其度也形度具三備經筋度脉度骨度並具在靈樞經中此闕亦合在經絡篇首錯簡也一經以此闕爲逆從論首非也帝曰春亟治經絡夏亟治經

俞秋亟治六府冬則閉塞閉塞者用藥而少鍼石也亟滿急也閉塞謂氣之門戶閉塞也所謂少鍼石者非癰疽之謂也冬月雖氣門閉塞然癰疽氣烈內作大膿不急寫之則爛筋腐骨雖冬月亦宜鍼石以開除之癰疽不得頃時回所以癰疽之病冬月猶得用鍼石者何此病頃時回轉之間過而不寫則內爛筋骨穿通藏府癰不知所按之不應手乍來乍已刺手太陰傍三痏與纓脉各二但覺似有癰疽之候不的知發在何處故按之不應手也乍來乍已言不定痛於一處也手太陰傍足陽明脉謂胃部氣戶等六穴之分也纓脉亦足陽明脉也近纓之脉故曰纓脉纓謂冠帶也以有左右故二云各二痏音洧掖癰大熱刺足少陽五刺而熱不止刺手心主三刺手太陰經絡者大骨之

會各三大骨會肩也謂肩貞穴在肩髃後骨解間陷者中暴癰筋緛隨分而痛魄汗不盡胞氣不足治在經俞癰若暴發隨脈所過筋怒緛急肉分中痛汗液滲泄如不盡兼胞氣不足者悉可以本經脈穴俞補寫之○新校正云按此二條舊散在篇中今移使相從腹暴滿按之不下取太陽經絡者胃之募也太陽爲手太陽也手太陽經絡之所生故取中脘穴即胃之募也中誥曰中脘胃募也居蔽骨與齊之中手太陽少陽足陽明脈所生故云經絡者胃募也○新校正云按甲乙經云取太陽經絡血者則已無胃之募也等字又楊上善註云足太陽其說各不同未知孰是少陰俞去脊椎三寸傍五用員利鍼謂取足少陰俞外去脊椎三寸兩傍穴各五痏也少陰俞謂第十四椎下兩傍腎之俞也○新校正云按甲乙經云用員利鍼刺已如食頃久立已必視其經之過於陽者數刺之

霍亂刺俞傍五霍亂者取少陰俞傍志室穴○新校正云按楊上善云刺主霍亂俞傍五取之足陽明及上傍三足陽明言胃俞也取胃俞兼取少陰俞外兩傍向上第三穴則胃倉穴也刺癇驚脉五謂陽陵泉在膝上外陷者中也鍼手大陰各五刺經大陽五刺手少陰經絡傍者一足陽明一上踝五寸刺三鍼經大陽謂足大陽也手大陰五謂魚際穴在手大指本節後內側散脉經大陽五謂承山穴在足腨腸下分肉間陷者中也手少陰經絡傍者謂支正穴在腕後同身寸之五寸骨上廉肉分間手大陽絡別走少陰者足陽明一者謂解谿穴在足腕上陷者中也上踝五寸謂足少陽絡光明穴按內經明堂中誥圖經悉主霍亂各具明文○新校正云按別本註云悉不主霍亂未詳所謂又按甲乙經大素刺癇驚脉五至此爲刺驚癇王註爲刺霍亂者王註非也

凡治消癉仆擊偏枯

痿厥氣滿發逆肥貴人則高梁之疾也隔則閉絶上下不通則暴憂之病也暴厥而聾偏塞閉不通内氣暴薄也不從内外中風之病故瘦留著也蹠跛寒風濕之病也

消謂内消癉謂伏熱厥謂氣逆高膏也梁粱也蹠謂足也夫肥者令人熱中甘者令人中滿故熱氣内薄發為消渴偏枯氣滿逆也逆者謂違背常候與平人異也然愁憂者氣閉塞而不行故隔塞否閉氣脉斷絶而上下不通也氣固於内則大小便道偏不得通泄也何者藏府氣不化禁固而不宣散故尔外風中人伏藏不去則陽氣内受為熱外燔肌肉消爍故留薄肉分消瘦而皮膚著於筋骨也濕勝於足則筋不利寒勝於足則攣急風濕寒勝則衛氣結聚衛氣結聚則肉痛故足跛而不可履也蹠之石切

黃帝曰黃疸暴痛癲疾厥狂久逆之所生也五

藏不平六府閉塞之所生也頭痛耳鳴九竅不利腸胃之所生也足之三陽從頭走足然久厥逆而不下行則氣鬱積於上焦故爲黃疸暴痛癲狂氣逆矣食飲失宜吐利過節故六府閉塞而令五藏之氣不和平也腸胃否塞則氣不順序氣不順序則上下中外互相勝負故頭痛耳鳴九竅不利也

○太陰陽明論篇第二十九新校正云按全元起本在第四卷

黃帝問曰太陰陽明爲表裏脾胃脉也生病而異者何也脾胃藏府皆合於土病生而異故問不同岐伯對曰陰陽異位更虛更實更逆更從或從內或從外所從不同故病異名也脾藏爲陰胃府爲陽陽脉下行陰脉上行陽脉從外陰脉從內故言所從不同病異名也○新校正云按楊上善云春夏陽明爲實太陰爲虛秋冬太陰

爲實陽明爲虚卽更實更虚也春夏太陰爲逆陽明爲從秋冬陽明爲逆太陰爲從卽更逆更從也帝曰願聞其異狀也岐伯曰陽者天氣也主外陰者地氣也主內是所謂陰陽異位也故陽道實陰道虚是所謂更實更虚也故犯賊風虚邪者陽受之食飲不節起居不時者陰受之是所謂或從內或從外也陽受之則入六府陰受之則入五藏入六府則身熱不時臥上爲喘呼入五藏則䐜滿閉塞下爲飱泄久爲腸澼是所謂所從不同病異名也故喉主天氣咽主地氣故陽受風氣陰受濕氣同氣相求爾故陰氣從足上行至頭而下行循臂至指端陽氣從手上行至

頭而下行至足是所謂更逆更從也靈樞經曰手之三陰從藏走手手之三陽從手走頭足之三陽從頭走足足之三陰從足走腹所行而異故更逆更從也故曰陽病者上行極而下陰病者下行極而上此言其大凡爾然足少陰脉下行則不同諸陰之氣也故傷於風者上先受之傷於濕者下先受之陽氣炎上故受風陰氣濕下故受濕蓋同氣相合爾

帝曰脾病而四支不用何也岐伯曰四支皆禀氣於胃而不得至經新校正云按太素至經作徑至楊上善云胃以水穀資四支不能徑至四支要因於脾得水穀津液營衛於四支必因於脾乃得禀也脾氣布化水穀精液四支乃可以禀受也今脾病不能為胃行其精液四支不得禀水穀氣日以衰脉道不利

筋骨肌肉皆無氣以生故不用焉帝曰脾不主時何也肝主春心主夏肺主秋腎主冬四藏皆有正應而脾無正主也岐伯曰脾者土也治中央常以四時長四藏各十八日寄治不得獨主於時也脾藏者常著胃土之精也土者生萬物而法天地故上下至頭足不得主時也治主也著謂常約著於胃也土氣於四時之中各於季終寄王十八日則五行之氣各王七十二日以終一歲之日矣外主四季則在人內應於手足也帝曰脾與胃以膜相連耳新校正云按太素作以募相逆楊上善云脾陰胃陽脾內胃外其位各異故相逆也而能為之行其津液何也岐伯曰足太陰者三陰也其脈貫胃屬脾絡嗌故太陰為

之行氣於三陰陽明者表也胃是脾之表也五藏六府之海也亦爲之行氣於三陽藏府各因其經而受氣於陽明故爲胃行其津液四支不得稟水穀氣日以益衰陰道不利筋骨肌肉無氣以生故不用焉此發明脾主四支之義也

○陽明脈解篇第三十新校正云按全元起本在第三卷

黃帝問曰足陽明之脈病惡人與火聞木音則惕然而驚鍾鼓不爲動聞木音而驚何也願聞其故前篇言入六府則身熱不時臥上爲喘呼然陽明者胃脈也今病不如前篇之旨而反聞木音而驚故問其異也岐伯對曰陽明者胃脈也胃者

土也故聞木音而驚者土惡木也（陰陽書曰木剋土故土惡木也）帝曰善其惡火何也岐伯曰陽明主肉其脈血氣盛邪客之則熱熱甚則惡（新校正云按甲乙經脉作肌）火帝曰其惡人何也岐伯曰陽明厥則喘而惋惋則惡人（惋熱內鬱故惡人煩○新校正云按脉解云欲獨閉戶牖而處何也陰陽相搏陽盡陰盛故獨閉戶牖而處惋烏貫切）帝曰或喘而死者或喘而生者何也岐伯曰厥逆連藏則死連經則生（經謂經脉藏謂五神藏所以連藏則死者神去故也）帝曰善病甚則棄衣而走登高而歌或至不食數日踰垣上屋所上之處皆非其素所能也病反能者何也（素本也踰垣謂

驚壞也㽞其衣裳異於常歟音予岐伯曰新校正云按脉解云陰陽爭而外并於陽四支者諸陽之本也陽盛則四支實實則能登高也陽受氣於四支故四支為諸陽之本也帝曰其棄衣而走者何也棄不用也岐伯曰熱盛於身故棄衣欲走也帝曰其妄言罵詈不避親疎而歌者何也岐伯曰陽盛則使人妄言罵詈不避親疎而不欲食不欲食故妄走也足陽明胃脉下鬲屬胃絡脾足太陰脾脉入腹屬脾絡胃上鬲俠咽連舌本散舌下故病如是

新刊黃帝內經素問卷第八